D0709773

OS PRIMOS

O SEGREDO DE CRAVEN STREET

Mafalda Moutinho

Autora

Até há pouco tempo foi Consultora de Gestão em Londres, numa grande empresa de consultoria multinacional, a *Accenture*.
Licenciou-se no Instituto Superior de Ciências Sociais e Políticas de Lisboa, em Relações Internacionais, e completou os estudos com um *Master* em Londres, no London Centre of International Relations da Universidade de Kent.
Trabalhou sediada em Londres de 1997 a 2003, viajando muito e vivendo cada ano em cidades e países diferentes: Paris, Milão, Cairo, Haia, Estocolmo, Madrid e Roma.
Desde 2003 vive em Milão e tem-se dedicado exclusivamente à escrita.
O *site* da colecção pode visitar-se em www.osprimos.com.

O SEGREDO DE CRAVEN STREET

Mafalda Moutinho

Ilustrações
Umberto Stagni

4.ª edição

Publicações Dom Quixote
[uma editora do Grupo LeYa]
Rua Cidade de Córdova, n.º 2
2610-038 Alfragide · Portugal

Capa | Atelier Henrique Cayatte
Ilustrações | Umberto Stagni

Revisão | Manuel Coelho
1.ª edição | Outubro de 2006
4.ª edição | Julho de 2010
Paginação | Maria da Graça Manta
Depósito legal | n.º 313 083/10
Impressão e acabamento | Mirandela, Artes Gráficas S.A.

ISBN | 978-972-20-3231-5

www.dquixote.pt

Índice

A Agatha Christie,
graças a quem escrevo hoje livros de mistério

Ao Grupo Pavia 12,
que me recorda constantemente a importância e o
valor dos bons amigos

NOTAS E AGRADECIMENTOS

Antes de mais, um enorme agradecimento aos fãs d'Os Primos pelas muitas centenas de mensagens enviadas para o *site* www.osprimos.com e pelo afecto, doçura e emoção que colocam incessantemente nas palavras transmitidas à Ana, à Maria, ao André e a mim própria. Muito obrigada!

Agradeço a David McKinley, do *College of Optometrists* de Londres, pela simpatia com que me revelou as fantásticas peças do museu do colégio e me forneceu informações e explicações relativas às mesmas e a outros assuntos importantíssimos para o desvendar deste *Segredo de Craven Street*. Agradeço-lhe sobretudo a paciência com que, noite após noite e a horas por vezes pouco agradáveis, se deslocou até *Craven Street* para... desligar o alarme anti-incêndio do edifício. Sem o saber, acabou por estimular as minhas «células cinzentas»...

Agradeço a Sophie Williams, da conceituadíssima livraria londrina especializada em livros raros, *Nigel Williams*, pelos importantes esclarecimentos relativos ao comércio de antiguidades literárias e pelo tempo que me dedicou.

Agradeço também aos guias do Museu do Teatro de Londres, em *Russel Street*, pela amabilidade infinita e pelo material fornecido que se revelou crucial nesta história.

Agradeço igualmente à adorável Ms. Mary, da Igreja de St. Paul's (*The Actors' Church*) em *Covent Garden*, e também aos sacristães de *Westminster Abbey* pelas informações relativas às tradições da abadia, sobretudo no que se refere à antiquíssima *Evensong*, à qual tive o prazer imensurável de assistir.

Mais uma vez, não posso deixar de reconhecer a paciência e o carinho dos meus pais, do Roberto, da Alexandra e do Carlos nas revisões e palpites para este livro, e também do infatigável Umberto, que finalmente conheci em Bolonha, após dois anos de trabalho conjunto marcado por contactos meramente virtuais.

Milão, 26 de Julho de 2006

I

O QUADRO

– Esta casa faz-me arrepios! – sussurrou Maria, voltando-se na cama.

– Deixa-te de coisas! – atalhou a irmã, meio ensonada, adivinhando o chorrilho de lamúrias que ali vinha. – Só dizes isso porque estás cheia de saudades do Cairo. Além disso, vamos estar aqui por pouco tempo, só até o pai arranjar um apartamento maior. Vê lá se dormes!

Maria suspirou profundamente, atirou o edredão para o ar e deixou-o cair de novo em cima do corpo, como um balão.

Estava impaciente. Talvez Ana tivesse razão. Se calhar a estranha impressão que sentira desde o momento em que entrara no apartamento, em Londres, tinha uma simples razão de ser: seriam apenas saudades do Cairo.

Por momentos recordou a discussão que tivera com os pais em Paris, anos antes, quando o embaixador Hugo Torres lhe comunicara que em breve se transfeririam para a capital egípcia. Desde logo imaginara a cidade infestada de aranhas, seres que temia e odiava acima de tudo, idealizando-a como um local terrível e pouco civilizado. Apesar das suas objecções, o destacamento diplomático do pai já estava confirmado e era impensável que os embaixadores pudessem demover-se com os queixumes da filha.

«A vida dá tantas voltas!», pensou, de olhos abertos, acompanhando as sombras irrequietas que as luzes da rua animavam no tecto do quarto. Quem é que podia imaginar que mais tarde daria razão à família?

O Cairo era uma cidade realmente adorável, de alma cálida e magia inesquecível. Daria tudo para regressar àquela atmosfera enérgica e imparável, onde táxis com o dobro da sua idade se pavoneavam pelas ruas, com forros extravagantes de zebras e leopardos nos assentos, ou bailarinas e amuletos pendurados nos espelhos retrovisores. Em que outra cidade se improvisavam quatro faixas de rodagem nas apenas três existentes e as buzinadelas substituíam o pisca-pisca?

Tinha saudades dos Invernos amenos, do caos ordenado, da gente simpática com a qual se habituara a conviver, das *gialabiyya* e dos turbantes egípcios que lhe faziam lembrar fantasmas brincalhões e sorridentes.

Uhmm… Fantasmas…

«Não», acabou por concluir. Não eram as saudades que sentia do Cairo, um mês após a sua partida, que justificavam os sinistros arrepios. Havia qualquer coisa estranha naquele apartamento, algo que ela não conseguia definir…

– Pois ficas a saber que as saudades não têm nada a ver com isso! – argumentou, sem se aperceber de que tinham passado dez minutos desde o último comentário da irmã mais nova, que entretanto voltara a adormecer.

– Uhmm… – resmungou Ana, acordando de novo e bocejando na sua cama. – Deixas-me dormir ou não? Isto de partilharmos o mesmo quarto não foi nada boa ideia…

– Se fosse essa a única má ideia dos últimos tempos…

– Maria… Fecha os olhos, vira-te para o outro lado e deixa de pensar em disparates. Não podemos falar amanhã? – pediu Ana, bocejando de novo.

– Estás mesmo ensonada! E são só duas da manhã! – replicou a irmã, olhando para o despertador. – Bem, já que não me ligas nenhuma, vou ver se o André está acordado.

– Vai, vai! – aproveitou Ana, endireitando a almofada e preparando-se para se submeter uma vez mais à doce influência do sono. – Isso. Vai ver se ele está acordado.

Maria sentou-se no bordo da cama, enfiou as chinelas nos pés (sacudindo-as antes, não fosse alguma aranha ter-se enfiado dentro de uma delas) e por fim levantou-se.

Caminhou devagar até à porta do quarto que se encontrava entreaberta e espreitou pela fissura. Ninguém.

Tocou na maçaneta fria com a mesma afectação de uma actriz num filme de terror, mas ainda a não tinha puxado, quando estacou de imediato, ao sentir um novo arrepio.

«Brrrr! Eu bem digo!», murmurou. «Isto não é normal!»

– O melhor é vestires o roupão – sugeriu a irmã, entre bocejos, ao ouvi-la estremecer. – Acho que os pais desligaram o aquecimento antes de saírem para o jantar na embaixada.

Maria seguiu o conselho da irmã, contrariada.

«Pf! Como se estes fossem arrepios de frio!», pensou, ao apertar o cinto do roupão novo.

No Cairo nunca precisara duma indumentária daquelas. Nem dos pijamas de flanela que agora se via obrigada a usar de noite. E não fazia diferença nenhuma se o aquecimento estava ligado ou não. Os arrepios continuavam.

Abriu a porta do quarto e saiu. Deslizou pelo corredor do apartamento e dirigiu-se à sala, onde dormia o primo que acabara de chegar de Portugal nessa tarde.

André tinha a mesma idade de Maria e aproveitara a semana de férias das primas para as visitar em Londres, no final de Outubro, durante o *half term* da *Southbank International School* que as duas tinham começado a frequentar em *Westminster*. A ideia tinha sido dos embaixadores, a quem a experiência ensinara o quão benéfica se revelava a presença do sobrinho em circunstâncias análogas. Já anos antes, aquando da transferência de Paris para o Cairo, o rapaz ajudara a distrair as duas irmãs da antipática tarefa de mudar de casa, de escola, de amigos, de país e de hábitos em geral. Tudo isto ao mesmo tempo e, ainda por cima, de um dia para o outro.

Os embaixadores esperavam que os três primos se concentrassem a desvendar algum caso misterioso e desviassem a sua atenção das contrariedades inerentes ao novo destacamento diplomático. Os Torres sabiam que, mais tarde ou mais cedo, as duas irmãs se integrariam em Londres. A curiosidade sempre produzira nas duas o admirável efeito de as entreter.

Em boa verdade, Maria não devia queixar-se tanto. Afinal de contas até tinha sido ela a insistir que se escolhesse aquele apartamento na lista que a agência propusera ao pai. Mas também só o fizera por uma questão de instinto – obviamente errado, como agora se via obrigada a admitir – que lhe sugerira ser aquela rua, a *Craven Street*, uma fonte de grandes inspirações. A culpa fora toda da agência, claro, que mencionara o facto de uma série de pessoas famosas ligadas ao teatro – mester que a rapariga tanto admirava – terem por ali passado. Entre estas encontrava-se o americano Herman Melville, autor do famosíssimo *Moby-Dick* que, em 1849, vivera do outro lado da rua, exactamente no número 25, como indicava a placa azul pendurada na parede exterior do edifício.

«Na altura pareceu-me boa ideia», pensou para com os seus botões. «E tudo por causa de uma citação de Melville referida por alguém e que me ficou na cabeça: *a ignorância é mãe do medo*.»

Ao repetir a máxima, sentiu outro arrepio. A frase adaptava-se tão bem àquela situação… Não havia dúvida, as pessoas receavam sempre aquilo que desconheciam. E naquela casa havia algo que lhe parecia estranhamente invulgar.

Precisava de falar com alguém que estivesse disponível para a ouvir. E se a irmã não conseguia manter os olhos abertos, só havia mais uma pessoa com quem tentar a sorte.

– André?... – sussurrou, batendo devagarinho à porta da sala. – André?

Nada.

«Deve estar a dormir... Oh, que aborrecido!», pensou.

– André! – voltou a arriscar, insistente.

Quis então abrir a porta para ter a certeza de que o primo dormia, antes de regressar ao seu quarto.

O compartimento encontrava-se um pouco iluminado, pois André deixara as cortinas ligeiramente abertas. Os olhos de Maria, agora habituados à escuridão, permitiram-lhe reconhecer o vulto imóvel do primo desenhado sob o edredão, no sofá--cama aberto a meio da sala.

Ainda assim, não ficou satisfeita.

«Talvez não esteja mesmo a dormir», pensou, confiante, e abriu um pouco mais a porta. «O melhor é ver se tem os olhos fechados».

Maria era uma rapariga decidida (embora as suas decisões fossem muitas vezes afectadas pelo receio de se cruzar com aranhas), e isto acabava por se traduzir frequentemente em manifesta teimosia. Quando metia uma coisa na cabeça, não descansava enquanto não a obtinha.

Era óbvio que já tinha decidido não desistir sem antes falar com André. O seu subconsciente até já procurava formas de acordar o primo «sem querer», tropeçando no tapete da sala, ou esbarrando casualmente na mesinha do telefone.

Ultrapassou a ombreira da porta, aproximou-se e inclinou-se sobre ele. Apercebeu-se de que estava deitado de barriga para cima, respirando lentamente, mas teve a estranha impressão de que a observava no escuro. Precisava de ter a certeza. Que piada excelente utilizaria no dia seguinte se descobrisse que ele dormia de olhos abertos! Quis passar-lhe a mão sobre a face, desenhando um meio círculo no ar, mas...

– *Curiosity killed the cat*![1] – gritou André, agarrando-lhe no braço e saltando debaixo do edredão, às gargalhadas.

Maria estremeceu, assustada, atirando-se para trás e tapando a boca com as mãos. Acabou até por tropeçar no tapete e ir esbarrar contra a tal mesinha do telefone, deitando o candeeiro ao chão.

– André!… Que idiota! – protestou, enquanto os batimentos cardíacos voltavam ao normal.

– Ah! Ah! Ah! Não estavas à espera desta, pois não? – perguntou ele, entre risadas. – Ouvi-te a caminhar no corredor e não resisti a pregar-te uma partida.

– Não tens graça nenhuma! Que grande susto! E eu já ando tão assustada!…

– Ora! Também não foi um susto assim tão grande… E andas assustada porquê?

Maria sentou-se no bordo do sofá-cama, pousou as mãos nos joelhos, respirou fundo, deixou passar alguns segundos para aplicar mais ênfase e gravidade ao momento e então disse:

– Desde que viemos para este apartamento tenho tido umas sensações esquisitas. Como se alguma coisa não batesse certo.

– Alguma coisa? Mas que coisa? – perguntou o primo, curioso.

– Não sei bem… De vez em quando tenho arrepios…

– Uhmm… – murmurou ele, bocejando. – Já experimentaste usar casacos? Normalmente funcionam…

A história dos arrepios não estava a surtir efeito. Se Maria não dissesse qualquer coisa de extraordinário nos próximos trinta segundos, perderia a atenção do primo e seria recambiada para a cama. Podia dizer adeus às confissões fora de horas. Suspirou, olhou em seu redor, lembrou-se de algo importante e voltou à carga.

– Este apartamento é estranho… Olha para os quadros, por exemplo! A maior parte deles estão sempre tortos!

[1] Ditado inglês que significa «a curiosidade matou o gato». (*N. da* A.)

André acendeu o candeeiro que entretanto apanhara do chão e observou as paredes com curiosidade.

– Iiiih! Tantos quadros!

– E não é só na sala – garantiu a prima, apontando para o corredor, satisfeita ao vislumbrar a primeira centelha de interesse. – É em todo o lado. Até na cozinha! E estão sempre tortos! Já viste? Há dez quadros nesta sala e quatro estão tortos.

– Uhmm... É verdade. Porque é que não os endireitam? – perguntou ele, sem se esforçar por esconder o tom condescendente.

– Ora! – disse ela. – Sempre que vejo um quadro torto, endireito-o, mas no dia seguinte está na mesma.

– Ouve lá, tem de haver uma explicação lógica para isto.

– Sim? E qual é?

– Se calhar vocês têm uma empregada muito gorda que não consegue andar sem esbarrar nas paredes!...

– Hã, hãããã... Excelente teoria – comentou a prima, irónica. – Como é que não me lembrei disso antes?

– Ah! Sei lá, Maria... Não me vais dizer que o apartamento está assombrado, pois não? E que o fantasma se diverte a entortar os quadros?

– Não, nem acredito em fantasmas. Deve haver outra explicação.

André deixou-se ficar a olhar para ela, à espera de palpites, mas era óbvio que Maria não tinha nenhum para lhe oferecer. O assunto tinha-se esgotado e era necessário arranjar outro.

– Então e tu? O que é que estás a fazer, acordado, às duas da manhã? – apressou-se ela a inquirir.

– Não consigo dormir. O alarme do prédio aqui em frente está a tocar há duas horas e ninguém o vai desligar.

– Alarme? – perguntou Maria, surpreendida, espreitando pela janela. – Ah, sim, tens razão. Nem tinha reparado. Porque será?

– Não sei. O que sei é que não me deixa dormir. Como é que os vizinhos ainda não se queixaram?

– Esse é outro problema desta casa. Quase não temos vizinhos!

– E achas que isso é um problema? Há pessoas que dariam *tudo* para não ter vizinhos – replicou André – só por causa dos cães a ladrar, das obras que nunca mais acabam, do canário da vizinha de cima que suja a roupa pendurada a secar, enfim!... Vocês têm é uma sorte enorme, aqui mesmo ao lado de *Trafalgar Square*!...

– Pois... somos nós, o senhor Nelson[1] e os pombos!

– Mas tens a certeza de que não vive aqui mais ninguém?

– Há algumas pessoas noutros prédios, mas muito poucas. De noite nunca se vêem luzes acesas nas casas. Há muitos escritórios de advogados e aqui em frente, por exemplo, está o Colégio de Optometristas.

– Optometristas?

– Sim, são os especialistas que examinam os olhos. É dali que vem o alarme.

– Ai, sim? Então o que nós precisávamos era de um colégio de pessoas que lidassem com os ouvidos. Parece que são todos surdos, por aqui! Além disso, para que é que um colégio de optometristas precisa de um alarme?...

– Parece que na cave têm um museu de objectos antiquíssimos, relacionados com o evoluir da profissão. Coisas incríveis, como aparelhos esquisitos, monóculos e até olhos de vidro! E têm também uma série de quadros com pinturas e retratos muito valiosos.

– Uhmm... – murmurou André, espreitando pela janela e tentando vislumbrar as preciosidades descritas pela prima no edifício da frente. – E no vosso prédio? Não há mais ninguém?

[1] Almirante britânico que se tornou conhecido como um dos heróis nacionais durante as guerras contra Napoleão Bonaparte. Perdeu a vida em 1805, na Batalha de Trafalgar, em que os ingleses venceram a França e a Espanha. A *Nelson's Column*, em *Trafalgar Square* foi erguida em sua homenagem, em 1843. (*N. da* A.)

– Bem... – disse ela, pensativa, preparando-se para contar uma história.

Além de gostar de teatro, Maria adorava escrever. Trazia sempre consigo um bloco de notas que usava para anotar todas as peripécias e aventuras do grupo e no qual já tinham dado entrada as recentes e estranhas ocorrências de *Craven Street*.

Pigarreou e prosseguiu com a narração:

– Num dos primeiros dias aqui em Londres, íamos a sair de casa, quando reparei que me esquecera de qualquer coisa. Para não nos atrasarmos, os meus pais foram buscar o carro com a Ana, enquanto eu voltei atrás. Despachei-me depressa e acabei por ficar à espera deles no *hall* de entrada do prédio. Levaram tanto tempo a chegar que me pus a ver as cartas que o carteiro ali deixara para os inquilinos.

– Cartas? Que cartas? – perguntou o primo, curioso.

– Sabes que em Londres muitos prédios não têm caixas de correio independentes. As cartas são normalmente deixadas numa mesinha, à entrada, e cada inquilino escolhe as suas.

– Ai é? Que coisa tão estranha.

– Estranho foi ver ali tanta correspondência e nunca encontrar ninguém no prédio. Foi por isso que me pus a ler os nomes dos destinatários...

«De repente, apareceu uma senhora alta e magra, com um ar muito distinto, muito inglês. Não me apercebi dela até a sentir respirar mesmo por cima dos meus cabelos. Nem te digo o susto que apanhei!»

– Andas muito assustadiça...

– Oh! – respondeu a prima, sem lhe dar importância, rejeitando a ideia com um gesto fugaz. – Também te assustavas se aparecesse alguém por trás de ti com ar de fantasma, sem se anunciar ou fazer o mínimo ruído, e depois te dissesse ao ouvido: *curiosity killed the cat*!

– Ah! Vejo que começa a ser uma frase habitual, para ti! – riu André.

Maria ignorou-o, entretida com as suas próprias ideias.

– Eu fiquei sem saber o que dizer. Ainda tentei responder-lhe com a segunda parte do ditado, mas não consegui lembrar-me dela. A propósito... Tenho a certeza de que existe uma segunda parte, mas como é?

André não conhecia nenhuma segunda parte para aquele ditado. Já tinha sido uma sorte acertar na primeira parte, ele que se tornara famoso por se enganar em todos os ditos e máximas que proferia. Mas a culpa era toda da prima Maria, que se divertia a escrever disparates daquele e doutro género no seu irritante livrinho de notas. Toda a gente lhe achava graça, menos ele.

– Bem, não interessa! – prosseguiu ela. – Era óbvio que eu estava a coscuvilhar, mas não ia admiti-lo, não é?

André acenou, concordante e sobretudo aliviado por ver afastada a obrigação de evocar um ditado que desconhecia.

– Então lembrei-me de inventar que estava à espera de uma carta... tua!

– E ela?

– Riu-se, fingiu que não tinha percebido a minha desculpa e perguntou-me se eu era uma rapariga curiosa.

– A sério? E o que é que lhe respondeste?

– Disse-lhe que sim, que a curiosidade é um passatempo excelente e que pode ter matado o gato, mas que também deve ter salvado muita gente de morrer de tédio.

– Boa! Onde é que ouviste isso? – perguntou o rapaz.

Com alguma sorte, talvez a mais recente cisma da prima fosse manter um registo de citações, substituindo a secção dos *Disparates do André* no bloco de notas.

– Em lado nenhum. Veio-me à cabeça na altura – respondeu Maria, sem modéstia. – Ela, pelos vistos, também gostou, porque se fartou de rir. Disse que além de curiosa, eu devia ser muito perspicaz. Depois saiu.

André notou-lhe o curvar da sobrancelha, interessado.

– O meu pai diz que todos os apartamentos neste prédio são dela. Acho que pertence a uma família inglesa muito rica.

– E para além dela não viste mais ninguém, por aqui?

– Não vi, nem ouvi. Mas sei que há mais gente, por causa das cartas… – explicou Maria, ciente de estar a alimentar a curiosidade do primo.

– Quem? – quis saber André, empolgado. – Alguém que tenha recebido uma carta secreta?…

– Todas as cartas são secretas até serem abertas… – disse ela num tom enigmático, apreciando esta nova inclinação para inventar aforismos. – Mas não estavas à espera que me pusesse a abrir a correspondência dos outros, pois não?

André tossicou, disse qualquer coisa como «Claro que não» e recordou, envergonhado, o último dia de S. Valentim.

A sua professora de Português tinha decidido promover, na escola, a iniciativa de cada aluno escrever uma carta anónima de uma página inteira à pessoa de quem gostava, no dia dos namorados. As cartas seriam colocadas num cacifo na biblioteca e depois entregues aos destinatários. A ideia era fomentar a escrita e proporcionar aos alunos a nostálgica experiência de escrever uma carta a sério, em vez dos *e-mails* curtos e mal redigidos que a miudagem preferia.

Na altura, roído de ciúmes e de curiosidade, André não resistira a abrir uma carta dirigida a Joana, a rapariga da sua turma que desde o início do ano o tivera pelo beicinho. A missiva fora, como depressa ficou a saber, enviada por um rapaz do ano a seguir ao seu.

A descoberta foi uma decepção, embora lhe aliviasse, em parte, o sentimento de culpa. No fim, para castigo, nem sequer teve sorte com Joana. Era como se a sua história tivesse compartilhado o fim do gato, no tal ditado inglês.

Maria, alheia a semelhantes divagações e tomando o silêncio do primo como sinal de atenção absoluta, continuou:

– No apartamento 2 vive o Mr. Fields, no 4 mora um tal Mr. Wang, no 8 os Lair, no 9 vive o Mr. Drake e no 10 vive a Miss Price.

– Conseguiste decorar isso tudo só a olhar para a correspondência?! – perguntou André, estupefacto.

– Não – confessou Maria. – Anotei tudo no meu bloco de notas.

André suspirou. Enfim, não havia nada a fazer. Ninguém conseguiria tirar-lhe aquela mania. A prima nunca se separaria daquele livrinho idiota.

– E a senhoria, em que apartamento vive?

– Boa pergunta. Isso é que eu não consegui descobrir. Não havia nenhuma carta para ela…

– Como é que se chama?

– Chama-se Hunt. Disse-mo o meu pai.

– Será que vive sozinha?

– Acho que sim, parece que é viúva. É uma pessoa estranha… Dizem que esconde uma história muito triste no seu passado.

– *Dizem?* – perguntou André, desconfiado.

Seria apenas mais um dos exageros da prima? Não havia dúvida de que estava apostada em incluir pormenores misteriosos no seu relato.

– Bem… Ouvi o meu pai falar nisso à minha mãe, noutro dia. Parece que a história é uma espécie de tabu, ninguém fala nela a Mrs. Hunt e ela também nunca se refere a este aspecto do seu passado à frente de outras pessoas.

– O que será? – perguntou André, começando a interessar-se cada vez mais. – Terá cometido algum crime? Terá perdido alguém importante na sua vida? Será órfã? Terá estado doente, com uma doença terrível, da qual escapou por mera sorte?…

Maria encolheu os ombros, admirada com a imaginação do primo.

– Ou… será filha de extraterrestres?

– Agora já estás a exagerar um bocadito – interrompeu-o ela. – Filho de extraterrestres só mesmo tu[1]...

– Bom, de qualquer forma, se vocês vivem no apartamento 12, falta saber quem vive nos apartamentos 1, 3, 5, 6, 7, 11, 13, 14 e 15.

– O 11 fica mesmo aqui ao lado e não vive lá ninguém. Tenho a certeza porque reparei numa teia de aranha fora da porta que já ali está desde que para cá viemos.

– Uhmm... – murmurou André, a quem a fobia da prima divertia muito.

– E não me espantaria nada se também não houvesse ninguém nos outros apartamentos. Quem sabe?

– Podemos sempre usar o velho truque de tocar às campainhas e fugir! – propôs André, entusiasmado. – Depois basta esperar para ver quem acende a luz...

Entreolharam-se, contemplando a ideia, mas quando se lembraram que teriam de despir os pijamas confortáveis e sair para a rua àquela hora, com o frio que estava, descartaram o estratagema de imediato.

– Uhmm... Naaa! – disse André, bocejando. – *Bad idea.*

Eram já duas e meia. As pálpebras começavam a pesar-lhes. Estava na hora de abandonarem as conversas nocturnas de intriga e mistério e voltarem para a cama.

André enfiou-se debaixo do edredão e, sem mais demoras, despediu-se:

– Bem, falamos amanhã, está bem? Boa noite!

– Sim – anuiu a prima, deixando escapar um bocejo. – Boa noite.

Apagou o candeeiro da mesinha do telefone antes de sair e encostou a porta.

[1] Ver O *Segredo do Mapa Egípcio*, no qual André inventa uma história incrível sobre o seu passado e convence Raul, o filho do cônsul, de que é filho de extraterrestres. (*N. da* A.)

Estava ainda no corredor que dividia o apartamento quando se ouviu um estrondo tremendo, como se alguém tivesse acabado de partir o vidro de uma janela.

Assumindo a sua natureza assustadiça, Maria lançou um dos seus típicos gritinhos e regressou à sala, apavorada, fechando a porta atrás de si.

– O que foi aquilo? – perguntou o primo, que entretanto se levantara.

– Eu sei lá! Não veio do corredor?

– Do corredor vieste tu!

– Acho que alguém acabou de entrar em nossa casa! Partiram o vidro da janela!

– Da janela? Qual janela? Não é possível! Estamos no terceiro andar!

Ficaram de ouvido à escuta, em silêncio, mortificados e sem saber o que fazer.

Não se discerniam ruídos vindos do corredor ou do resto da casa. Não se ouviam passos, vozes, nada.

– Ana! – sussurrou Maria, encostando o ouvido à parede da sala, paredes meias com o seu quarto.

Ter-se-ia a irmã levantado, ou ouvido o barulho do vidro a partir?

Nada. Silêncio absoluto.

Passaram-se longos minutos sem o mínimo sinal de movimento ou presença de estranhos em casa.

– Tens a certeza de que era uma janela? – começou a duvidar André.

Maria encolheu os ombros.

Esperaram mais um pouco até que o jovem, desconfiado, resolveu investigar. Olhou à sua volta, à procura de algo que pudesse utilizar para se defender, mas não encontrou nada com aspecto suficientemente belicoso.

Maria apercebeu-se das suas buscas e decidiu ajudá-lo. Viu um par de pauzinhos chineses esquecido na prateleira de uma estante e entregou-lhos.

– Toma – disse, encolhendo novamente os ombros.

– Boa! Hei-de ir muito longe com isso!– riu ele.

Não obstante, e por falta de alternativa, pegou nos pauzinhos, empunhou-os da forma mais aguerrida possível e avançou.

Abriu a porta da sala sem fazer barulho, espreitou pela abertura e saiu para o corredor. Procurou o interruptor e por fim acendeu a luz, já mais descansado.

– Vês? Não está aqui ninguém! – disse, voltando-se para Maria, que o seguia amedrontada.

– Então... e que barulho foi aquele?

– Era disto! – exclamou André, ao ultrapassar a curva do corredor em forma de L. – Foi apenas um quadro que caiu da parede e se partiu.

– Um quadro? Eu não te disse? Há qualquer coisa estranha nesta casa! Deixa ver.

Aproximou-se, ainda duvidosa. Pegou no quadro de pequenas dimensões, retirou os pedaços de vidro que tinham ficado presos na moldura e olhou para a imagem, a meio do *passe-partout*. Era um retrato.

– Nunca tinha reparado neste quadro – disse, analisando a expressão melancólica da jovem retratada, de olhar intenso, eternamente fixo em quem a observasse.

– Bem, *case closed*! Está o enigma resolvido. Vamos mas é para a cama. Até amanhã.

Apesar do cepticismo do primo, Maria estava decidida a interpretar o incidente como um claro e incontornável indício de mistério.

– Muito estranho... Deve haver alguma coisa por trás disto! – disse, com um ar de detective estampado no rosto.

André desatou a rir.

– Não há nenhuma coisa por trás *disto*! – ripostou, divertido, tirando-lhe o quadro das mãos. – É apenas um retrato!

Maria não respondeu, calada a olhar para as costas do quadro que André segurava, imóvel, com a boca ligeiramente aberta em sinal de espanto.

Os pregos que fixavam a moldura tinham saído do lugar com a queda, desmanchando o caixilho de suporte e deixando entrever algo que lhe causara uma estranha admiração.

– O que é que foi agora? – voltou a perguntar o rapaz.

Maria ergueu lentamente o braço direito e apontou para o quadro, mantendo a mesma face estupefacta.

– O que… O que é isso?

André só então reparou na ponta de um folheto que deslizara para fora do caixilho, sob a parte anterior do quadro.

– Deve ser o nome da casa que fez a moldura – respondeu ele, sem grande espanto.

Porém, a cor amarelada do papel, a sua textura delicada e antiga e a ponta gasta e consumida identificavam o folheto como pertencendo a um passado longínquo.

Maria puxou por ele com delicadeza, mas este mostrou resistência e ela decidiu não insistir.

– Leva o quadro para a sala enquanto eu apanho os vidros do chão. Mas não mexas em nada até eu chegar!

Maria saía ao pai: era ordenada e metódica e jamais lhe passaria pela cabeça deixar os vidros espalhados no chão, mesmo que isso significasse adiar a revelação do mistério.

Varreu tudo com a vassoura e deitou os vidros partidos no saco do lixo destinado ao vidrão. Antes de regressar à sala, passou pelo quarto para acordar a irmã.

– Ana! Acorda! Vem ver o que encontrámos!

– Oh, não! Tu, outra vez? – refilou Ana, convencida de que tudo não passava de mais um estratagema da irmã para a obrigar a levantar-se. – Que pesadelo!

– E depois dizem que a dorminhoca sou eu – disse Maria, insistente.

– Qualquer pessoa normal é dorminhoca às… três da manhã?!? – exclamou Ana, olhando para o despertador. – Mas afinal o que é que se passa contigo hoje? Bebeste um litro de Coca-Cola, foi?

– Anda lá! Deixa-te de coisas! Eu e o André acabámos de descobrir uma coisa muito suspeita e precisamos da tua ajuda!

Ana não tinha grande vontade de abandonar os cobertores e os lençóis quentinhos, mas a tal «coisa suspeita» tinha, sem dúvida, conseguido despertar-lhe a atenção.

– Está bem... Está bem!... Mas é bom que seja mesmo uma coisa muuuuuuito suspeita, senão vais ter-me à perna todas as manhãs, bem cedinho, durante os próximos dois meses.

Aquela era uma ameaça séria. Acordar Maria de manhã cedo equivalia a provocar-lhe um humor execrável para o resto do dia.

O despertador era o melhor exemplo disso. As múltiplas colagens de fita-cola demonstravam que estava partido em vários sítios, depois de cair no chão como resultado dos maus humores matinais da rapariga. Salvava-se apenas quando o programavam e depois o escondiam, obrigando-a a levantar-se para o procurar. Maria achava muito pouca graça àquela brincadeira.

– Nem acredito que não tenhas ouvido aquele estrondo! – disse ela, mudando de assunto e vendo que Ana voltava a deitar a cabeça na almofada. – Até pensei que fosse um assaltante que tivesse partido uma janela!

Ana não estava a perceber nada do que a irmã lhe dizia. Que estrondo? Que assaltante? Que janela? Ooohh! Mas porque é que não a deixavam dormir?

Contra vontade, levantou-se.

André esperava-as na sala, sentado numa cadeira, a observar o quadro partido sobre a mesa de jantar.

Apesar das advertências da prima, já tinha experimentado libertar o folheto misterioso. Ao verificar que o não conseguiria extrair sem antes retirar o resto dos pregos, resolvera aguardar, não fosse Maria zangar-se.

– Não têm um alicate? – perguntou, ansioso. – É a única forma de conseguirmos tirar o folheto sem o rasgar.

Enquanto Maria foi à cozinha procurar um alicate, André explicou a Ana, ainda ensonada, o que se passara momentos antes.

– Acordaste-me sem sequer saberes se valia a pena? – respingou ela, retraindo um bocejo, ao ver a irmã regressar. – O mais provável é que se trate de um simples folheto de publicidade da loja onde foi comprado o quadro.

– Foi o que eu lhe disse… – desculpou-se André.

– Não. Tenho a certeza de que é algo importante. Sinto-o! – objectou Maria.

– Sentes? Boa! Agora deste em adivinha, foi?

Maria não respondeu, entretida a puxar os pregos que restavam, um a um, até libertar a placa e o folheto que se escondia atrás do caixilho.

– É um antigo folheto de teatro… – observou Ana.

– … de uma peça de Agatha Christie! – exclamou Maria, fã incondicional da velha escritora inglesa.

– … de 1943! – completou André, perplexo.

Estava escrito em inglês, num papel amarelado e envelhecido. As letras eram típicas dos antigos opúsculos de teatro, redondas, negras e cheias.

ST. JAMES THEATRE
King Street W.C.2
WINTER MISTERY
TEN LITTLE NIGGERS
Adapted by
AGATHA CHRISTIE
Opens 17th of November 1943

Os primos olharam uns para os outros, estupefactos, à volta da mesa. Até que Maria quebrou o silêncio:

– Incrível!... Um folheto de uma peça de Agatha Christie com mais de sessenta anos! Eu não vos dizia que era qualquer coisa importante? Aposto que até deve valer imenso dinheiro!

– Uhmm... A sério? – perguntou André, olhando interessado para a suposta relíquia.

– Sobre o que seria a peça? O título em inglês não me diz nada, mas podemos ver de que se trata, na Internet! – propôs ela.

Nenhum dos outros dois lhe fez notar que já passava das três da manhã, horário impróprio para se ligar o computador. Mas visto que os embaixadores continuavam entretidos no seu jantar e que os jovens há muito haviam perdido o sono, meia hora a mais, ou a menos, não faria diferença.

Assim que abriram a página do motor de busca, Maria escreveu o título da peça no rectângulo de pesquisa.

Os primeiros resultados apareceram de imediato, com informações deveras interessantes.

– Aqui está! A peça estreou-se em Londres, no *St. James Theatre*, exactamente no dia 17 de Novembro de 1943... o que torna este folheto ainda mais valioso! – exclamou, agitada. – Mas não é tudo... Ouçam isto: parece que o livro no qual se baseou a peça foi publicado em Londres, em 1939. Mas o título, *Ten Little Niggers*, ou *Os Dez Negrinhos*, era demasiado polémico, por isso, quando foi publicado nos Estados Unidos, no ano seguinte, passou a chamar-se *Ten Little Indians*, ou *Os Dez Indiozinhos*. Só mais tarde se transformou no título actual, *And Then There Were None*, que significa literalmente *No Fim Não Sobrou Nenhum*, e os dez indiozinhos passaram a ser dez soldadinhos, ou *Ten Little Soldiers*.

– Mas afinal a história é sobre o quê?

– É sobre dez pessoas que aparentemente não têm nada a ver umas com as outras, mas que recebem um convite para comparecer numa casa, situada numa ilha no Sul de Inglaterra. O anfitrião, porém, não aparece. Na primeira noite, durante o jantar, ouvem a voz de um indivíduo gravada num gramofone, acusando cada um deles de ter cometido um crime no passado e de ter ficado impune. Assustados, decidem então abandonar a ilha, mas uma tempestade impede-os de o fazer. O medo começa a contagiar todos os elementos do grupo, até que cada um deles acaba por morrer, seguindo as descrições de morte anunciadas numa velha canção cómica americana do século XIX, chamada precisamente *Ten Little Soldiers*.

– Que macabro – comentou Ana. – Então no fim morrem todos? Não sobra mesmo nenhum?

– No livro, não. Mas aqui diz que na adaptação ao teatro, feita pela própria Agatha Christie, o final da história é alterado e sobram duas pessoas. As adaptações ao cinema mantiveram esta alteração. Em português, o livro chama-se *Convite para a Morte*, ou *As Dez Figuras Negras*.

– Convite para a morte? Parece-me que já ouvi falar nisso. Não saiu há pouco tempo um jogo de computador com esse título? – perguntou André.

– Não sei... Parece que é o único caso de Agatha Christie em que não existe um detective como Poirot, ou Miss Marple. Há quem diga que é o seu melhor livro.

De repente, Ana lembrou-se de um pormenor e afastou-se do computador. Pegou no quadro e observou-o com curiosidade. Uma incógnita começava a formar-se na sua mente e era necessário encontrar uma solução adequada. Porque teria alguém escondido um simples folheto de teatro ali dentro?

– Vocês nem vão acreditar nisto! – exclamou Maria, que entretanto abrira uma nova página na Internet. – Adivinhem quanto pode custar uma primeira edição do livro *As Dez Figuras Negras* num antiquário?

– Sei lá! Cem euros? – experimentou André.

– Não...

– Duzentos?!

– Não...

– Não?! Então, quanto?

– Este *site* de livros antigos vende-o a cerca de doze mil libras, ou seja, quase dezassete mil euros!

– O quê??? – perguntou André, boquiaberto, pegando no folheto como se fosse de algodão.

Ana, do outro lado da sala, continuava absorta, analisando o quadro e, para espanto do rapaz, não reagiu ao comentário da irmã.

– Então? – perguntou ele, exaltado, aproximando-se e dando-lhe uma cotovelada. – Não dizes nada? Já viste? Dezassete mil euros por um livro! Quanto é que achas que darão por este folheto? Hã?

Como a primeira cotovelada não provocara os efeitos desejados e Ana se mantinha em silêncio, André repetiu a dose com um gesto ainda mais arrojado. A rapariga foi apanhada desprevenida e o resultado foi o quadro cair ao chão pela segunda vez naquela noite.

– Cuidado! – exclamou Maria, vendo que o caixilho se desconjuntara por completo. – Se dermos cabo do quadro, a senhoria nunca acreditará que ele caiu da parede sozinho. Vai pensar que fomos nós que o partimos!

O quadro estava agora dividido em várias partes: caixilho, pregos, pedaços de vidro, placa posterior, retrato, *passe-partout* e…

– Vejam… – disse Ana, apanhando algo do chão. – Parece que o folheto não foi a única coisa que esconderam atrás deste quadro…

II

OS DEZ CONVIDADOS

– O que é isso? – perguntaram os outros.

– Não tenho a certeza… – disse Ana.

A folha que segurava era amarelada, tal como o folheto. Porém, neste caso, as letras não tinham sido impressas, mas escritas à mão, numa caligrafia legível, bem desenhada, de traço elegante e provavelmente feminino.

– Está um pouco esbatido, mas lê-se bem – observou André.

– Mas o que significa?… – perguntou Maria. – Parece uma cantilena.

– Sim, mas… Tem algo de ameaçador, não acham? – perguntou Ana, apreensiva. – É como uma vingança anunciada…

O rodar das chaves na fechadura sobressaltou-os, fazendo-os interromper o exame da nova descoberta.

Os embaixadores tinham acabado de chegar.

Com notável presença de espírito e hábil como sempre, Maria escondeu os papéis e o quadro desfeito debaixo do sofá-cama, perante os olhares surpreendidos da irmã e do primo.

– Shhhiu! Amanhã decidimos se lhes contamos o que descobrimos! – justificou, com uma piscadela de olho rápida e matreira.

– Não devíamos informar a senhoria? – sussurrou Ana.

– Podemos fazê-lo mais tarde! Não há pressa... Os pais nem vão dar por falta do quadro.

Os embaixadores tinham ultrapassado a curva do corredor e estavam prestes a entrar na sala.

– Ora, ora! Uma *pyjama party*?! – disse Hugo, com surpresa dissimulada ao ver os três jovens de pé.

– Não acham que é um bocadinho tarde para... se informarem sobre o estado do tempo de amanhã? – perguntou Sara, observando a página da Internet que Maria, entretanto, se apressara a abrir.

– Sim, mas... é que... – balbuciou a filha. – Não conseguíamos dormir porque... porque o alarme do prédio aqui em frente tem estado a tocar toda a noite!

«Excelente desculpa!», aprovaram Ana e André, interceptando o seu olhar triunfante. Não havia dúvida, Maria continuava a ser a maior criadora de invenções que conheciam.

– Têm razão... Que aborrecido! – disse Sara, compreensiva. – Reparámos nisso ao entrar. Esperemos que o venham desligar rapidamente.

– Bem, já que estão todos acordados, aproveito para vos dizer que recebemos um convite para jantar amanhã – informou o embaixador, agitando na mão um envelope branco.

– *Recebemos*? – perguntou Maria, admirada.

Não tinha grande vontade de participar num daqueles aborrecidos jantares diplomáticos. Por sorte, era raro os pais pedirem-lhes para os acompanharem.

– Nós também temos de ir? Devem estar lá só adultos!...

– Julgo que sim, mas... – respondeu o pai, hesitante. – Na verdade trata-se de um convite um pouco invulgar. É de Mrs. Hunt e chegou hoje à noite, bastante tarde...

– Não o vimos quando saímos para jantar – esclareceu a mãe. – Mas quando regressámos, encontrámos várias cartas iguais na mesinha à entrada, uma para cada inquilino. Imagino que Mrs. Hunt faça isto para conhecermos os nossos dez vizinhos.

– Dez? – perguntou Maria, surpreendida.

– Sim – anuiu o pai. – Parece que são dez…

* * *

Era demasiado tarde e o alarme parara por fim de tocar, provavelmente por falta de baterias. As desculpas para continuarem acordados tinham-se esgotado e, embora a curiosidade em analisar os dois insólitos papéis fosse agora gigantesca, nada puderam fazer senão esperar até ao dia seguinte.

Maria não adormeceu de imediato. Afinal não se enganara: naquela casa havia material de sobra para começarem a investigar um novo caso. O número dez, por exemplo, tinha surgido várias vezes naquela noite. Dez quadros na parede da sala, dez figuras negras na velha peça de Agatha Christie de 1943, dez cartas e dez vizinhos que conheceriam no jantar do dia seguinte… Seriam simplesmente coincidências?

Sabia apenas seis dos dez nomes dos convidados: Mrs. Hunt, Mr. Fields, Mr. Wang, Mr. e Mrs. Lair, Mr. Drake e Miss Price. Quem seriam os outros? O jantar acabara de perder o carácter inicialmente enfadonho e começava agora a anunciar-se como um evento interessante. A curiosidade da jovem aumentava a olhos vistos.

«Uhmm… a curiosidade matou o gato…», pensou. «Sim, e a satisfação ressuscitou-o. Exacto!» Era aquele mesmo o final do ditado inglês que não fora capaz de recordar anteriormente.

* * *

O sol tornava Londres uma cidade muito alegre, mas, apesar do céu azul e da ausência de chuva, os sobretudos não escondiam o desconforto que o vento gélido provocava. O efeito de estufa e o aquecimento global podiam estar a alterar o clima da cidade, mas a capital britânica continuava a ter temperaturas muito baixas durante a estação fria.

Enquanto tomavam o pequeno-almoço, Ana, Maria e André releram a carta que tinham encontrado escondida atrás do quadro. As frases eram de facto misteriosas e soavam a vingança, como Ana observara.

Nenhum deles fazia ideia do que pudessem significar. André dobrou o papel em dois e guardou-o na sua mochila.

Escolheram o Museu do Teatro como primeiro local a investigar, esperando obter alguma informação interessante acerca da famosa peça *As Dez Figuras Negras*.

A ideia fora de André, cujas verdadeiras intenções tinham sido tentar descobrir quanto poderia valer o folheto de 1943 e saber se o museu estaria interessado em comprá-lo.

– Podes tirar o cavalinho da chuva! – disse Maria, indignada, quando chegaram à porta do museu.

Tinham atravessado a colorida e animada zona de *Covent Garden* e estavam agora em *Russel Street*, no meio da chamada *Theatreland*, que em apenas dois quilómetros quadrados conseguia a proeza de albergar quase cinquenta teatros.

– E além disso... – continuou Ana – ... não tínhamos concordado dizer a Mrs. Hunt que o quadro se partiu e que encontrámos aqueles papéis escondidos lá dentro?

– Sim... concordámos... – respondeu André, acentuando a penúltima sílaba.

Sempre as mesmas! Que raio, podiam estar ricos e nunca o saberiam!

– Será que Mrs. Hunt tem alguma coisa a ver com a carta? – perguntou Maria.

– Talvez tenha! – exclamou André. – Tu não disseste que ela tinha um segredo qualquer no seu passado? Algo que nunca se mencionava e que ela não contava a ninguém?

– Foi o que o meu pai me disse!

– Como o apartamento lhe pertence, até pode ter sido alguém da sua família a escrevê-la... – observou Ana.

– Quem sabe? Mas se assim for, é pouco provável que ela saiba da sua existência. De outra forma não a teria deixado ficar escondida dentro de um quadro, numa casa que aluga a estranhos... – recordou Maria. – Antes de lho perguntarmos, devíamos descobrir o que querem dizer aquelas frases esquisitas. Talvez aqui encontremos o que procuramos.

O que os três nunca pensaram foi que o museu possuísse tantos folhetos e programas de teatro, tantas cartas e bilhetes pessoais trocados entre actores. Segundo o guia, a colecção do museu, enriquecida com as doações do público desde 1704, continha mais de um milhão de documentos. Aquela informação final foi suficiente para demover as últimas esperanças de André. Com um milhão de doações, era óbvio que o museu não estava interessado no folheto deles.

– A menos que seja anterior a 1945... – ressalvou o guia.

Dois enormes cifrões relampejaram nos olhos de André, mas o ar reprovador das duas irmãs aniquilou-os rapidamente.

Saíram do museu desiludidos. A primeira investigação não tinha corrido muito bem. Não tinham descoberto nada sobre a peça, sobre o panfleto ou sobre a carta e continuavam a repetir as frases misteriosas desta última, vezes sem conta, esperando que o sentido das mesmas se tornasse compreensível de um momento para o outro.

O que significaria aquela estranha cantilena?

– Pelo menos ficámos a saber que embora os lugares da plateia sejam hoje dos mais caros, antigamente eram o pior sítio para assistir ao teatro – comentou André, ainda impressionado. – Imaginem os pobres aldeões, em pé, a suportar todo o tipo de lixo que os ricos lhes atiravam dos balcões.

– O que lhes valia eram as tais vendedoras de laranjas que as vendiam para camuflar os maus cheiros... – disse Maria, enojada.

– Devia ser mesmo muita porcaria junta, se no fim tinham de a cobrir com palha, como nos estábulos...

– Daí a palavra inglesa *stalls*, que significa «estala» – disse Ana, repetindo as palavras que ouvira ao guia.

Regressaram pela mesma *Russel Street*, caminhando para oeste. Pararam por momentos a ouvir um grupo de estudantes de música clássica que no fim recebeu imensos aplausos e um cesto cheio de moedas dos turistas entusiasmados. Atravessaram o recinto de *Covent Garden* até chegarem ao lado oposto.

Como se aproximava a hora de almoço, entraram numa das lojinhas do antigo mercado e compraram sumos de mirtilo vermelho, de manga e de framboesa, e três deliciosos folhados típicos da Cornualha. Contornaram um grupo de malabaristas que entretinha uma pequena multidão de pessoas e meteram por uma passagem que ladeava a igreja de *St. Paul's*.

– Que sítio tão giro! – disse André, lambendo os beiços, satisfeitíssimo com o recheio de pedaços de porco com maçã e canela que escolhera para o seu *Cornish pasty*.

– É a «Igreja dos Actores» – esclareceu Maria, quando chegaram por fim ao encantador jardinzinho interno.

Sentaram-se num dos bancos de madeira alinhados nas áleas centrais e laterais, no exterior da igreja. No jardim, viam-se vários idosos ou gente que trabalhava na zona e elegera aquele lugar especial, quase privado e sem turistas, como refúgio para descansar ou almoçar em sossego. No meio do silêncio, quase campestre e tão distante do ruído e da azáfama para lá dos portões da entrada, viam-se pássaros de diversas espécies, gorjeando alegremente.

– Aqui diz que a igreja já existia desde 1633 e que passou a estar muito ligada aos actores quando construíram o mais antigo teatro de Londres, o *Theatre Royal Drury Lane*, em 1663 – disse Ana, lendo um panfleto informativo que recolhera à entrada do recinto. – Era a esta igreja que os actores da zona vinham assistir às cerimónias religiosas.

– Não é nesse teatro que dizem existir um fantasma? – perguntou André?

– Sim – disse Maria. – *The Man in Grey*, ou o *Homem Vestido de Cinzento*. Não deve passar de uma lenda urbana.

Acabaram de comer e entraram. O interior da igreja estava pejado de inscrições dedicadas a actores.

André, voltando-se de costas para o altar, apercebeu-se de um pormenor que lhe chamou a atenção.

– Vejam! – exclamou, admirado. – Estes não são os mesmos apelidos dos vossos vizinhos?

Ana e Maria observaram as inscrições que o primo lhes indicava com o braço esticado. Tinha razão: Lair e Price... Que coincidência.

– Devem ser apenas nomes comuns... – disse Maria.

– Uhmm... – murmurou Ana.

Voltaram a sair da igreja e sentaram-se de novo ao sol, num dos bancos de madeira.

André abriu a mochila e pegou no livro que andava a ler, o *Mystery Big Cats*, sobre a existência misteriosa de felinos extraordinariamente grandes, avistados por diversas testemunhas na Grã-Bretanha, nos últimos vinte anos.

Folheou o livro e este abriu-se na página onde guardara a carta, nessa manhã.

– Que raio significará tudo isto? – perguntou, desdobrando-a e fixando-a com atenção.

Ana e Maria, sentadas uma de cada lado do primo, olharam ao mesmo tempo para o papel, em silêncio, encolhendo os ombros.

– Não faz grande sentido... – disse Ana.

– Realmente é uma cantilena muito esquisita – aquiesceu André, começando a lê-la em voz alta, traduzindo-a do inglês em que tinha originalmente sido escrita:

*No **covil** iniciará o combate do Leão*
*Que sem temor pisará agreste e bravio **chão**.*
*As **grades** terá de abrir para o **melro** rapinar,*
*o **anjo** irá perseguir e o **pato** há-de **caçar**.*
*Os demais **reis** na verdade não terão onde reinar.*
*Para ter **felicidade**, alto **preço** há que pagar…*

– Uma cantilena sobre um leão que tinha contas a ajustar com um melro, um anjo, um pato e um grupo de reis… Conhecem alguma lenda com estes elementos? – perguntou Maria.

Os outros encolheram os ombros.

– Também podia ser uma cançoneta usada numa peça antiga, como aconteceu na d'As *Dez Figuras Negras*, de Agatha Christie – propôs Ana.

– Mas não encontrámos nada no museu que a mencionasse – lembrou André. – Uhmm… Que estranho… Só agora é que reparei que algumas palavras estão evidenciadas.

– Tens razão – concordou Maria. – Passaram com a caneta por cima delas mais do que uma vez. Terá sido de propósito?

– Que palavras são essas? – perguntou Ana, que entretanto se levantara para tirar uma fotografia aos dois.

– Covil, chão, grades, melro, anjo, pato, caçar, reis, felicidade e preço… – leu André.

– Ora! Não fazem sentido nenhum! – queixou-se Maria. – Se calhar é impressão nossa, ou então não o fizeram de propósito. Às vezes também escrevo por cima da mesma palavra vezes sem conta, quando estou distraída.

Voltaram a ficar em silêncio, pensativos, deitando espreitadelas prolongadas à carta que André segurava nas mãos. Por fim, Maria levantou-se.

– Esta investigação não nos leva a lado nenhum! – suspirou, desiludida. – Se calhar não há nada de importante por trás da carta e do panfleto que encontrámos.

– Achas que andamos a perder tempo? – perguntou Ana. – Realmente não há nenhum crime para investigar…

– Pois não. O que é que querem fazer?

– Vamos dar uma volta – sugeriu André. – Nesta zona há imensas coisas para ver e eu não quero voltar a Évora sem ter ido ao *London Eye*. Seria como ir a Paris e não ver a Torre *Eiffel*...

– Pois...

Maria não tinha acreditado muito nas suas próprias palavras. Estava certa de que a história dos dois documentos trazia água no bico. Se assim não fosse, por que razão alguém os teria escondido atrás de um quadro?

Para prosseguirem a investigação, teriam de descobrir quem escrevera a carta, o que significavam as frases e porque estariam algumas palavras em relevo na cantilena do leão. Talvez durante o jantar conseguissem tirar a limpo aquelas dúvidas com perguntas astutas a Mrs. Hunt. Mas ainda faltavam tantas horas!

Deixaram *Covent Garden* e passaram o resto da tarde a passear por *Charing Cross*, *Trafalgar Square*, *Embankment* e *Westminster*, visitando as *Houses of Parliament*, a *Jewel Tower*, a igreja de *St. Margaret* e o *Big Ben*. Este, segundo tinham ouvido dizer, herdara o nome de um tal Mr. Benjamin, um senhor muito gordo – e, por isso, muito grande – que costumava tocar o sino da torre no tempo em que não existia ainda um mecanismo automático. Destacava-se como sendo o segundo relógio mais alto da cidade, logo a seguir ao que haviam instalado na torre do edifício da *Shell*, a meio da *Strand*.

A cantilena misteriosa ficara-lhes de tal forma impressa na cabeça, que depois de terem abandonado a igreja de *St. Paul's*, começaram a ver leões em todo o lado, reparando que existiam na maior parte dos edifícios, igrejas, estátuas e monumentos. Ao fim e ao cabo, o leão era o principal símbolo heráldico da realeza britânica, por isso não era assim tão invulgar encontrá-lo a segurar o famoso brasão real ao lado do unicórnio escocês. Ainda que o exercício não parecesse ter grande utilidade para a pesquisa, a caça ao leão serviu pelo menos para os distrair.

André achou graça à brincadeira e decidiu fazer um concurso para ver quem encontrava mais exemplares na cidade. Graças aos seus olhos de lince, acabou por ganhá-lo sem grande esforço. Ana ficou em último lugar e teve de carregar com a mochila do primo durante o resto do passeio.

No final do dia subiram ao *London Eye*, a roda gigante estacionada na margem sul do rio Tamisa, em frente ao Aquário de Londres e que a *British Airways* construíra. A vista do alto era incrível e deslumbrante.

– Agora percebo porque é que lhe chamam O *Olho de Londres*! – exclamou André. – Vê-se quase a cidade inteira!

Observaram as ruas e monumentos visitados anteriormente, as *Houses of Parliament*, a *Jewel Tower*, a igreja de *St. Margaret* e o *Big Ben*, agora com uma nova perspectiva, e tiraram todas as fotografias a que tinham direito.

– Vejam, aquele não é o nosso prédio? – perguntou Ana, apontando para *Craven Street*, do outro lado do rio.

– Sim, é! – exclamou Maria.

– Já viram o jardim que tem no último andar? – perguntou o primo. – Tem árvores e palmeiras! Incrível!

– De quem será?... – murmurou Maria, de sobrolho franzido. – Será que vai estar presente no jantar desta noite?

* * *

A surpresa relativa ao número do apartamento da senhoria foi rapidamente desfeita: Mrs. Hunt habitava no *flat 1*, no rés-do-chão. O seu apartamento tinha acesso a um pequeno jardim, com uma porta privada, razão por que a viam tão raramente entrar no prédio pela porta principal. O jardim podia vislumbrar-se através de duas enormes portas envidraçadas, mas não seria utilizado nessa noite porque estava demasiado frio.

A sala de jantar era esplêndida. Estava decorada com muito bom gosto, em estilo clássico, mobiliário requintado, candeeiros condizentes, sofás, cadeirões e repousa-pés em pele, mesas em mogno e uma lindíssima garrafeira antiga, por sinal muito bem fornecida.

– Olá, minha querida! – cumprimentou Mrs. Hunt, assim que viu Maria. – Esta deve ser Ana, a tua irmã mais nova... E este, André, o primo a quem gostas tanto de escrever. Que queridos! Ainda bem que puderam vir!

Os embaixadores sorriram e retribuíram os cumprimentos, estendendo-os aos convidados que já se encontravam presentes no salão. Mrs. Hunt aproveitou para fazer as apresentações.

– Meus caros, estes são o embaixador e a embaixatriz Torres com as suas filhas, Ana e Maria, e o sobrinho, André.

Trocaram-se sorrisos e estenderam-se braços, prontos para os apertos de mão que rematariam as apresentações individuais.

– Apresento-vos Mr. e Mrs. Lair, que moram no apartamento 8, Mr. Drake, do 9, e Miss Merle, a nossa mais recente inquilina, que entrou para o número 7 na semana passada. Todos eles moram no segundo andar.

– Que engraçado – disse Miss Merle, interrompendo-a e dirigindo-se a Mrs. Lair. – Tenho a impressão de já a ter visto em qualquer lado!

– É natural! – exclamou a outra, com singeleza. – Deve ter-se cruzado comigo nas escadas.

– Depois, no primeiro andar – continuou Mrs. Hunt, – temos Mrs. Sbarra, do apartamento 3, Mr. Wang, que beneficia da junção dos magníficos apartamentos 4 e 5, e Mr. Bliss, do número 6. Mr. Fields partilha o rés-do-chão comigo, no apartamento 2 e... Ah! Cá está Miss Price, do apartamento 10, acabada de chegar! Devem tê-la visto certamente no vosso piso – completou a senhora, com uma expressão calorosa.

Apesar de nenhum deles se ter jamais cruzado no patamar ou à entrada do prédio, os Torres não fizeram comentários e a jovem Miss Price limitou-se a esboçar um sorriso de circunstância.

À primeira vista todos os vizinhos tinham um aspecto normal, o que de certo modo desiludiu os três primos. Mentalmente já os tinham idealizado como personagens misteriosos e até grotescos, imaginando-se a escrutiná-los ao pormenor assim que os vissem pela primeira vez. Até a própria Mrs. Hunt lhes pareceu muito menos fantasmagórica do que as descrições de Maria lhes tinham dado a entender.

Foi apenas quando o gelo inicial se quebrou e todos começaram a falar entre si que as opiniões dos jovens mudaram. Era como se cada inquilino tivesse no seu passado um segredo que não esperava fosse descoberto...

Mrs. Lair, por exemplo, tinha uma expressão atenta, uma boca pequena e arredondada, de lábios semiabertos e o ar exaltado de quem não perde um bom mexerico. Dava a impressão de estar constantemente à espera de uma ocasião para dizer algo. Era uma senhora robusta, com cerca de sessenta anos. Apesar do excesso de peso, transmitia a ideia de se encontrar em boa forma física.

Algo no seu semblante fez Maria pensar numa actriz experiente, habituada a impressionar os interlocutores logo no primeiro encontro. Esta ideia foi depressa comprovada.

– Foi realmente uma excelente ideia ter-nos convidado para que finalmente nos conhecêssemos! – exclamou Mrs. Lair, com uma gargalhada sonora e exagerada que alvoroçou o marido, de pé, a seu lado.

O pobre homem, parcialmente calvo e um pouco mais baixo do que ela, tinha um carácter submisso, de olhar obediente. Parecia abstraído, como se estivesse longe dali. A voz da mulher soou-lhe aos ouvidos como um alarme repentino e fê-lo entornar o aperitivo que segurava nas mãos.

– *Oh, dear!* – exclamou a mulher, arreliada. – *Can't you do anything right?* Andas tão nervoso ultimamente... Tomaste os teus comprimidos, antes do jantar?

Com apenas duas frases, Mrs. Lair tinha fornecido aos convidados os elementos que faltavam para a caracterizar psicologicamente.

«Deve ser cá uma chata!», pensou André, piscando o olho às primas que presenciavam a cena, divertidas.

Mr. Lair balbuciou qualquer coisa que ninguém percebeu e baixou-se para enxugar o líquido entornado no tapete persa da anfitriã. O nervosismo, aliado ao seu carácter desastrado, fê-lo chocar de frente com a prestável Miss Price, que acabara de se ajoelhar nesse preciso momento para fazer o mesmo.

O impacto foi brutal e bastaram poucos segundos para um galo enorme se evidenciar, saliente, na testa do homem que, sem emitir palavra, se sentou no sofá mais próximo e agachou a cabeça entre as mãos e os joelhos.

– *Oh, dear me!* – exclamou Miss Price a quem o choque não pareceu afectar minimamente. – Vou já buscar um saco de gelo à cozinha!

Os primos viram-na afastar-se e cruzar-se com um jovem de ar sul-americano. A julgar pelas luvas brancas que calçava, devia ser o mordomo.

A cena da colisão frontal entre o desajeitado Mr. Lair e a jovem Miss Price tinha sido tão divertida que obrigou os jovens a fazer um esforço monumental para não desatarem a rir. Hugo e Sara, prevendo o pior, aprontaram-se a mudar de assunto, esperando que a vontade de rir lhes passasse.

– Esclareça a nossa curiosidade, Mrs. Hunt – perguntou Hugo. – Quem vive nos apartamentos 11, 13, 14 e 15?

– Ah, sim! Claro... – começou ela por responder, ainda assarapantada com o sucedido. – O número 11 está vazio, de momento. Quanto aos outros, são na verdade um único apartamento, o melhor do edifício. Rodeiam um magnífico *roof garden* no último andar, com plantas e pássaros exóticos que só o inquilino sabe como sobrevivem aos nossos Invernos rigorosos... Tem uma vista incrível sobre *Trafalgar Square*, o rio Tamisa, o *Big Ben*!...

– E quem é o inquilino? – perguntou Maria, interessada.

– Um grego riquíssimo! – atalhou Mrs. Lair, mais interessada naquela conversa do que no galo do marido, que Miss Price e Miss Merle tentavam diminuir com um saco de gelo.

– Sim... – interrompeu Mrs. Hunt, um pouco embaraçada com o comentário da sua hóspede. – Trata-se de Mr. Angelopoulos, um dos barões da indústria náutica grega. Infelizmente está ausente, na Grécia, por isso não poderá juntar-se a nós esta noite...

Maria olhou para Ana e André. Era então um grego muito rico quem habitava o último andar!... Não seria ainda nessa noite que conheceriam a totalidade dos vizinhos.

– Os estaleiros navais devem roubar-lhe todo o tempo disponível – disse Mr. Drake, falando pela primeira vez. – Negócios, negócios...

E afastou-se para voltar a encher o seu copo de Martini.

Drake, como os primos depressa ficaram a saber através de Mrs. Lair, era escocês e tinha quarenta anos. Era um homem muito atraente, de cabelo um pouco grisalho, bem penteado, com uma covinha a meio do queixo e densas sobrancelhas que lhe davam um ar carismático, mas matreiro. Vestia um fato extremamente elegante, do estilista italiano *Zegna*, e calçava sapatos do legendário fabricante britânico *Church's*.

– Aquele homem ganha balúrdios! – exclamou Mrs. Lair, num sussurro pouco dissimulado. – É negociante na *City*, sabem? Mas tem o vício do jogo, por isso gasta tudo o que ganha!

O novo comentário pareceu intimidar Mr. Wang, um tipo reservado que decidiu afastar-se discretamente e ir juntar-se a Mr. Drake, perto da garrafeira.

Wang era chinês e o facto de permanecer em silêncio a maior parte do tempo levou Ana e Maria a pensar que talvez não dominasse bem o inglês para conversar com os outros.

Assim que o viu distanciar-se, Mrs. Lair encarregou-se, mais uma vez, de facultar os devidos esclarecimentos.

– *Scary man, if you ask me!...* – murmurou, observando-o, agora com dissimulação genuína. – Faz-me arrepios! Dizem que está envolvido em actividades pouco claras e que tem ligações com a máfia chinesa de Londres. Até há bem pouco tempo vivia em *Gerrard Street*, no meio da *China Town*, num apartamento minúsculo que dividia com um amigo de infância... Mas parece que tiveram uma discussão muito feia entre os dois que o fez mudar para *Craven Street*. Só não compreendo onde foi arranjar tanto dinheiro para alugar o segundo melhor apartamento do edifício...

Por essa altura o grupo ficara reduzido aos Torres, a Mrs. Lair, a mexeriqueira oficial da noite, a Mrs. Sbarra e a Mr. Fields, visto que tanto Mrs. Hunt como Mr. Bliss se tinham afastado educadamente a meio da conversa.

Mrs. Hunt foi juntar-se a Mr. Drake, de novo sozinho e ao lado da garrafeira, e desabafou:

– Não sei porque é que aquela mulher se queixa tanto! Está a estragar-me o jantar com tantos mexericos. Se hoje não tem um apartamento maior foi porque não quis.

– Não quis? – perguntou Mr. Drake, interessado.

– Sim, não quis. Quando Mr. Wang decidiu mudar-se para o nosso prédio há dez meses, o apartamento 9 estava vazio, pois você ainda não tinha vindo para cá. Mr. Wang quis vê-lo e gostou muito dele, mas era um apartamento pequeno... Ele precisava de pelo menos outro quarto e, além disso, preferia um andar mais alto. Então eu sugeri-lhe que juntasse os apartamentos 4 e 5, no andar de baixo, mas ele não estava muito seguro, pois os dois seriam maiores do que ele necessitava. Então lembrou-se de propor uma permuta aos Lair: trocaria o apartamento 4 pelo 8, bastante mais pequeno, e juntá-lo-ia ao 9 para obter um apartamento com as dimensões desejadas, no andar que preferia. Os Lair ficariam também a ganhar, pois Mr. Wang prontificou-se a pagar a diferença de preço entre a renda dos dois apartamentos. Seria perfeito para todos, não acha?

– Sim, parece-me que sim…

– Pois bem… *Surprise, surprise!* Os Lair não aceitaram! E se não o fizeram, agora não deviam queixar-se!

– Parece-me que as queixas são especialmente do foro de Mrs. Lair – analisou o vizinho, ao observar Mr. Lair sentado no sofá, sozinho, segurando o saco de gelo na cabeça.

Do outro lado da sala, a conversa prosseguia sempre mais agitada. Sara e Hugo tinham acabado também por se afastar, mas os primos permaneciam interessados nas bisbilhotices de Mrs. Lair e nos comentários de Mrs. Sbarra e de Mr. Fields.

– Que confusão de nomes e de histórias! – sussurrou Maria ao ouvido da irmã e do primo. – Tentem recordar-se do maior número de pormenores possível, para depois construirmos uma tabela de dados.

– Porque é que não vais tirando notas no teu livrinho? – escarneceu André.

– Era capaz de ser má educação, não? – segredou a prima, sem deixar, porém, de contemplar a proposta.

Entretanto o colóquio entre os três adultos avançava:

– Há pouco ouvi-a comentar a excelente ideia de Mrs. Hunt de nos convidar para nos conhecermos – disse Mr. Fields, dirigindo-se a Mrs. Lair num tom cortante e pouco simpático. – Mas vejo que afinal de contas conhece muito melhor os seus vizinhos do que nos deu a entender.

Mrs. Sbarra tossicou e fez sinal ao mordomo para trazer mais aperitivos. Era urgente adocicar a conversa.

– Ora, ora, Mr. Fields! Um pouco de *gossip* nunca fez mal a ninguém! – sorriu ela, defendendo a vizinha.

Mrs. Sbarra era uma senhora extremamente elegante. Via-se que tinha sido uma mulher bonita na sua juventude e que continuava a arranjar-se com gosto e cuidado pessoal, escolhendo as vestimentas de forma sóbria e calculada. Vestia um *tailleur* de cor lilás e usava maquilhagem forte, que não primava pela subtileza. Tinha unhas compridas e mãos muito bem tratadas. Usava óculos modernos e os cabelos, bem arranjados, estavam pintados de castanho, com madeixas douradas e davam-lhe pelos ombros. A forte pronúncia revelou imediatamente que era italiana.

– E estes pormenores são tão interessantes! – observou Mrs. Lair, orgulhosa da sua função de relatora, agora plenamente autorizada. – São coisas que nenhum de nós jamais daria a conhecer sobre nós próprios, não acham?

Olhou para os primos, em busca de aprovação, mas os jovens limitaram-se a sorrir e a encolher os ombros.

– Exactamente! – ripostou Mr. Fields, preparando-se para os deixar. – São assuntos privados e é assim que deveriam permanecer!

– Parece que acabámos de perder mais um adepto! – riu Mrs. Lair, pousando o braço no ombro da nova amiga, ao ver o opositor afastar-se com pouca cerimónia.

Mrs. Sbarra recebeu o sinal de acolhimento. Nesse momento percebeu, contudo, que seria melhor fornecer ela própria os seus dados pessoais, do que ouvir recitá-los da boca de outra pessoa, sobretudo tendo esta tanto veneno na língua. Além disso, aquele era o momento mais apropriado para o fazer. Não obstante estar diante de uma coetânea linguaruda, tinha na sua presença três jovens certamente pouco interessados em conhecer os pormenores da sua vida e ainda menos em repeti-los.

– *Posso dire che sono* viúva, que perdi o meu marido há muitos anos e que hoje não tenho quase nada a não ser o meu trabalho de antiquária numa livraria de livros antigos aqui perto, em *Charing Cross Road.*

«Livros antigos?», pensou Ana, com um brilho repentino nos olhos.

– Vivo aqui há oito meses e... ah, sim! O meu apartamento é o mais pequeno de todo o prédio. *Ecco*! – finalizou com um sorriso sardónico.

– *Oh, my dear*! – riu Mrs. Lair, fingindo apreciar a franqueza. – Creio que iremos dar-nos lindamente!

O que Mrs. Sbarra não lhes contou, mas que Mrs. Lair muito bem sabia e lhes revelou antes do final da noite, foi que o marido tinha ido à falência antes de morrer por ter tomado decisões precipitadas nos negócios. Tinha perdido tudo, deixando-a quase na miséria. A pobre senhora vira-se obrigada a deixar a enorme casa que detinham em *Holland Park*, a mudar-se para o minúsculo apartamento de *Craven Street* e a resignar-se a viver modicamente. O único objecto de valor que detinha era um livro muito antigo e precioso que conseguira esconder dos credores quando estes lhe tinham penhorado os bens.

André, que observara a troca de palavras em silêncio desde o início, aproveitou a oportunidade para fazer uma pergunta sobre algo que o tinha interessado.

– A senhora é mesmo uma antiquária de livros?

O aceno afirmativo fê-lo continuar: – Então percebe imenso de livros, de gravuras e de... folhetos antigos, não é verdade?

Ana e Maria franziram o sobrolho. O primo não desistia.

– *Ma certo*! E devo admitir, sem falsa modéstia, que sou uma excelente profissional. Uma das melhores no meu campo!

– E qual é o seu campo? – inquiriu Maria, curiosa.

– Bíblias antigas!

Mrs. Lair observou-a com ar indiscreto e bebeu o último golo de vinho do Porto do seu cálice.

Nesse momento, Mrs. Hunt entrou no salão e anunciou que o jantar estava pronto a ser servido:

– *Ladies and gentlemen, dinner is served*! Queiram, por favor, passar à mesa de jantar.

Enquanto todos se acomodavam nos lugares estipulados pela anfitriã, Maria fez uma observação curiosa relativa ao número de quadros existentes nas paredes do salão: eram dez e estavam dispostos de forma muito semelhante aos que se encontravam no apartamento dos Torres. A testa enrugou-se-lhe de novo, mas resolveu não dar demasiada importância ao facto. Talvez Mrs. Hunt gostasse de colocar os quadros sempre da mesma maneira nas paredes.

A estranha insistência do número dez, porém, continuava a espicaçar-lhe a curiosidade. Ultimamente aparecia tantas vezes!...

O seu pensamento divagou para a cantilena da velha carta. Tornou a visualizá-la na sua mente e então reparou em algo que antes lhe passara despercebido: as palavras evidenciadas nas frases também eram dez...

As surpresas, porém, não ficaram por ali. Foi André quem reparou noutra particularidade do salão e de imediato a deu a conhecer às primas, através de uma subtil cotovelada. A garrafeira, que ocupava uma posição de destaque num dos cantos da sala, tinha sido esculpida numa admirável peça maciça de raiz de nogueira e ostentava uma enorme cabeça de leão na parte superior.

Teria alguma ligação com o leão da carta, ou estariam os leões a subir-lhes à cabeça?

À medida que o jantar era servido, os convidados voltavam a interagir pacificamente. Até a própria Mrs. Lair se distraiu com o magnífico filete de tamboril envolvido em finas fatias de bacon, num molho de mostarda e folhinhas de beldroegas. O marido, ainda atordoado e com um galo no lado esquerdo da testa, comeu pouco.

Após o *fudge* de chocolate que os primos adoraram, Mrs. Hunt dirigiu-se aos embaixadores com uma pergunta:

– Ainda não nos disseram por que razão escolheram o nosso prédio para habitar.

– Ah, sim! – sorriu Sara, limpando os lábios ao guardanapo de linho branco. – É apenas por pouco tempo, pois precisamos de um apartamento maior. Mas, na verdade, a ideia foi da nossa filha Maria.

A jovem explicou a ligação a Melville e a anfitriã sorriu.

– Melville! Era um homem genial! – exclamou Mrs. Lair, com um semblante curioso. – Imaginem que a minha avó chegou a conhecê-lo quando ele aqui viveu. Por sinal num jantar entre vizinhos! Falou-me muito dele. Lembro-me perfeitamente!

Qualquer coisa no seu sorriso fez Maria ponderar naquela frase. O que Mrs. Lair acabara de afirmar com tanta veemência simplesmente não era possível. A senhora não tinha mais que sessenta e cinco anos, o que significava que teria nascido por volta de 1940. Ora se Melville tinha vivido em *Craven Street* em 1849, nem mesmo a sua bisavó o poderia ter conhecido... Teria sido um lapso? Ou uma intrujice?

Enquanto Maria decidia se devia tirar a dúvida a limpo ou não, André resolveu fazer algumas perguntas sobre a origem da garrafeira.

– É muito bonita... – elogiou. – Gosto imenso daquele leão. Tem algum significado?

– Ah, nem sequer é valiosa! – explicou Mrs. Hunt. – Comprei-a num *car boot sale*[1] fora de Londres por uma pechincha. E não é um leão, mas um dragão.

Depois, levantando-se da mesa, perguntou:

– Gostas de leões, é? Os leões são símbolo de poder. Tenho um quadro com um leão... E por sinal é muito valioso! Queres vê-lo?

– Sim, claro! – aquiesceu André, surpreendido. – Que quadro é?

– Podem vir todos observá-lo – convidou a senhora, orgulhosa, dirigindo-se ao seu escritório. – Trata-se de um estudo anónimo, provavelmente do italiano Francesco Pesellino. O quadro a que deu origem chama-se *S. Jerónimo e o Leão* e encontra-se na *National Gallery*, aqui em *Trafalgar Square*.

[1] Espécie de mercado de bens em segunda mão em que as pessoas expõem o que desejam vender nas bagageiras dos seus carros. (*N. da A.*)

Mr. Fields aproximou-se, intrigado, observando o quadro em pormenor. Era um homem curioso, bastante magro, com duas rugas muito marcadas nas faces e cabelos grisalhos. Tinha dois dentes caninos muito salientes e olhos cavados, com olheiras profundas, que faziam recordar um vampiro. Possuía um diploma de História da Arte, como lhes fez saber de imediato, vivia sozinho e trabalhava precisamente na *National Gallery*, onde a mãe fora curadora enquanto viva.

– Este quadro não esteve envolvido num roubo, há muitos anos atrás? – perguntou Mr. Bliss, fazendo um esforço para recordar a notícia.

– Que eu saiba, não! – apressou-se a esclarecer Mrs. Hunt.

Mrs. Lair não foi capaz de esconder a forma intensa como a observou, analisando-lhe a expressão acuradamente, em busca de novos elementos de *gossip*. De repente, lembrou-se de algo:

– Engraçado... Esta história dos leões faz-me lembrar a nossa colecção antiga de selos, não é verdade, *darling*? – perguntou ao marido.

Mr. Lair anuiu, cabisbaixo.

– Oh! Têm de a ver! É preciosa e valiosíssima! Foi uma herança do meu marido. Porque não a vais buscar? – pediu, muito excitada. – Tenho a certeza de que adorariam vê-la!

O marido limitou-se a responder com um aceno débil e retirou-se, pronto a seguir as instruções da mulher.

Durante a sua ausência, Mr. Fields continuou a analisar o quadro de Mrs. Hunt com um interesse demasiado óbvio. De repente, voltou-se de frente para todos e anunciou, com ar muito sério:

– Minha cara Mrs. Hunt, lamento informá-la, mas... este quadro é falso! Uma simples imitação!

A tacinha de café que a senhora detinha nas mãos caiu ao chão, provocando um imenso espalhafato.

III

MAIS LEÕES

– Os tapetes desta casa hoje estão com azar – riu André, olhando para o café entornado.

A situação, porém, não era para brincadeiras.

– Não é possível... – balbuciou Mrs. Hunt, aterrada. – Mandei avaliar o quadro no ano passado, a pedido da companhia de seguros. Devo ter o certificado em qualquer lado...

Dirigiu-se ao aparador, abriu uma gaveta e retirou um documento que entregou a Mr. Fields.

– Aqui está.

– Sim... – concordou ele, analisando-o. – Este documento é de facto genuíno, reconheço o nome e a assinatura do avaliador. Trabalhamos com ele na *National Gallery*.

Os olhares curiosos da assistência aproximaram-se, observando a folha de papel que o homem segurava.

Mrs. Sbarra franziu o sobrolho, duvidosa, e Mrs. Lair deu-lhe uma cotovelada de conivência. Depois, esta última cruzou os braços e esticou os beiços num trejeito de coscuvilheira-mor, dando a entender que a coisa não a surpreendia. Então reparou que Mr. Bliss acabara de tirar um bloco de notas da algibeira e se prestava a fazer umas garatujas.

– O que é que está a escrever? – perguntou, indiscreta.

– Bem... eu... Sou... jornalista do *Sunday Times* e esta história interessa-me muito. Tenho a certeza de que dará um excelente artigo!

Ouvindo a conversa, Mrs. Hunt interrompeu-o, indignada e cada vez mais nervosa.

– Que des... pro... pósito! – disse, aos soluços. – Não posso permitir que faça uma coisa desse género. É inadmissível! Trata-se de um assunto privado. O senhor não tem o direito!...

O clima tornou-se, de repente, muito desagradável.

– Com certeza – desculpou-se Mr. Bliss, voltando a guardar o bloco de notas. – Já aqui não está quem falou...

No entanto, os seus olhos percorreram a sala com rapidez e atenção, como se fotografasse mentalmente todos os pormenores que lhe pudessem servir mais tarde.

Foi então a vez de a jovem Miss Merle se aproximar. Até àquele momento, os primos não a tinham ouvido falar senão quando mostrara a sua comiseração para com o pobre Mr. Lair. As poucas palavras emitidas na altura não tinham sido suficientes para que notassem a forte pronúncia francesa da rapariga.

– Mrs. Hunt – disse, passando à frente de Mr. Bliss – sou advogada e terei todo o prazer em ajudá-la com a Polícia, ou até com a companhia de seguros. Aliás, posso telefonar imediatamente para a esquadra de *Charing Cross*...

Todos repararam no esforço que Mrs. Hunt fez para conseguir recuperar a compostura e conter a frase impaciente que se preparava para proferir. E repararam também nas reacções de desconforto que Mr. Wang e Mr. Bliss tiveram ao ouvir a palavra «Polícia».

– Miss Merle – disse Mrs. Hunt, mais calma, sacudindo uma poeira inexistente na camisa de seda – aprecio muito o seu zelo, mas não tenho a mínima intenção de envolver a Polícia neste assunto.

Mr. Wang e Mr. Bliss voltaram a distender-se no sofá, aparentemente satisfeitos com a comunicação.

«Que estranho...», pensaram os primos, atentos a tudo. «Terão algo a esconder?»

No entanto, Mrs. Hunt apercebeu-se da perplexidade que a notícia provocava no rosto dos demais convidados, adiantando, por isso, uma evasiva:

– Ou melhor... Não tenho intenção de a envolver enquanto não tirar as coisas a limpo com a companhia de seguros. É o que eu queria dizer.

– Que situação tão esquisita – murmurou Ana, de forma a que só a irmã e o primo a pudessem ouvir.

Em poucos segundos o grupo regressou à sala de jantar, seguindo a anfitriã e procurando outros assuntos de conversa.

– Falsificação ou não – disse Mrs. Sbarra – o seu quadro é adorável!

O elogio não pareceu surtir o efeito desejado. Mrs. Hunt levantou-se do sofá onde entretanto se sentara e anunciou de imediato e com alguma frieza que, em breve, iriam servir chá e café para quem desejasse.

– André, que simpatiza tanto com leões, é que deve apreciar este mistério, não é verdade? – disse Mrs. Lair, dando a impressão de que falara apenas para não estar calada.

De um momento para o outro e sem perceber como tal pudera acontecer, André viu-se classificado como uma espécie de adorador de leões que na realidade não era. Estava tentado a esclarecer o mal-entendido quando Ana lhe deu uma subtil pisadela, fazendo-lhe sinal para não interromper a alcoviteira.

– Conta-nos lá porque é que gostas tanto de leões? Tens alguma razão especial, é? – perguntou a senhora, com interesse.

Ao afastar-se da sala, Mrs. Hunt observou a vizinha por cima do ombro, enrugando a testa em sinal de estranheza.

Algo embaraçado, André procurava uma resposta satisfatória.
– Eu… bem… Não… É que… – balbuciou.
Não lhe saía uma única frase da boca.
– A verdade é que André anda a ler um livro que fala de felinos misteriosos, aqui em Inglaterra. É por isso que se interessa pelo assunto! – respondeu Maria, por ele.
«Mesmo a tempo!» pensou o rapaz, aliviado.
– Olha que em Londres há mais mistérios associados a leões do que se imagina… – disse a senhora. – Por exemplo…
Mrs. Hunt mudou então de ideias e resolveu voltar atrás, como se sentisse urgência em ouvir o que a convidada tinha a comunicar.
Mrs. Lair, sentindo-se observada, acabou por dizer algo que bem podia ter acabado de inventar.
– Já viram… os leões de *Trafalgar Square*, por exemplo?
Os outros convidados interromperam as suas conversas paralelas e tomaram atenção. Também eles queriam saber o que tinham os leões de *Trafalgar Square* de tão misterioso.
O silêncio tornou-se estranhamente pesado, quase insuportável, como se a solução do enigma fosse uma questão de vida ou morte. Por fim, a senhora completou a frase:
– Ouvi dizer que… que… que são mágicos!
Mágicos? Os leões de *Trafalgar Square*? O comentário tinha sido de tal forma estapafúrdio que as conversas paralelas retomaram de imediato, mostrando um total desinteresse pelo prosseguimento do tema. Afinal de contas, quem é que poderia acreditar num disparate semelhante? Nem os miúdos, com certeza.
Mrs. Hunt foi incapaz de evitar um suspiro depreciativo e, dirigindo-se a André, disse por sua vez:
– Se gostas de leões, tens de tentar assistir à *Evensong*, na *Westminster Abbey*! A minha mãe ia ali muitas vezes, quando era viva, e ainda chegou a levar-me com ela em algumas ocasiões.
Foi a vez de Mrs. Lair a olhar com curiosidade. A anfitriã não fez caso e continuou:

– É uma cerimónia muito interessante e antiga. Só poucos sabem da sua existência. E é sobretudo a única forma de se poder entrar naquela sala incrível e reservada da antiga igreja.

– E o que é que tem a ver com leões? – perguntou André, ciente de que a pergunta não ia ajudar a desvanecer a sua nova reputação.

– Vais perceber quando lá entrares... – respondeu Mrs. Hunt, enigmática, afastando-se finalmente na direcção da cozinha.

– Tu vais gostar é da minha colecção de selos! – insistiu Mrs. Lair, voltando à carga, como se, de repente, se visse em competição directa com Mrs. Hunt. – Mas onde é que se meteu o meu marido, que nunca mais aparece?

Mr. Lair estava, com efeito, a demorar demasiado. Já tinham passado uns bons vinte minutos desde que saíra para ir buscar a famosa colecção de selos. Não se percebia como podia levar tanto tempo.

– *Dear me*! – exclamou Mrs. Lair. – Será possível? Moramos no mesmo prédio, no segundo andar, e no entanto, com esta demora toda, o meu marido tinha tempo para ir até *Covent Garden* e voltar...

Nesse preciso momento, a campainha tocou e o mordomo sul-americano apareceu prontamente para abrir a porta.

O Mr. Lair que viram entrar na sala, além de espavorido, trazia um rosto cansado e vinha com os cabelos despenteados. Balbuciava algo muito baixinho e abanava as mãos com gestos nervosos. O que lhe teria acontecido?

– *What is it, darling*? – perguntou a mulher, olhando para ele pouco surpresa. – Onde está a colecção de selos?

– *I couldn't... I couldn't...* – gaguejou o homem.

– Como? O que dizes? Não pudeste o quê? – inquiriu ela, começando a evidenciar alguma agitação.

– *I couldn't find it*! – declarou, por fim, Mr. Lair.

– *What*?! Não a encontraste? – perguntou ela, escandalizada.

– Não estava no lugar de sempre. Não a consegui encontrar em lado nenhum e acredita que me fartei de procurar…

– Que disparate. Ainda ontem a vi dentro do aparador da sala. És sempre o mesmo! – queixou-se a mulher, levantando-se do sofá. – Nunca consegues fazer nada de jeito. Disseste que tomaste os comprimidos, não foi?

– Sim… – murmurou o homem.

– Seja como for, o teu problema está a piorar. Tenho-te dito isso muitas vezes, mas não me ouves. Tens de voltar ao médico, não podes adiar mais.

Os primos entreolharam-se. Problema? Que problema?

– Enfim, tenho de lá ir eu, está visto – concluiu a mulher, dirigindo-se até à porta, a esbracejar. – Volto já!

Até Maria, mais dada ao teatro, achou que a forma de agir da senhora era demasiado espalhafatosa. Uma vez mais, voltou a ficar com a impressão de que daria uma boa actriz.

– Fiquem aqui e mantenham olhos e ouvidos bem abertos – sussurrou à irmã e ao primo. – Eu vou tirar umas coisas a limpo…

E afastou-se na direcção da cozinha.

Entretanto, o mordomo tinha acompanhado Mrs. Lair até ao vestíbulo, onde a senhora deixara a mala e o casaco. Preparava-se para esperar por ela e levá-la até à porta, quando esta lhe disse, num tom reprovador:

– Aprecio muito a sua amabilidade, mas não se incomode. Eu saio sozinha. O melhor é atender os outros convidados. Vi muitos copos vazios que precisam de ser enchidos de novo. Já não se fazem mordomos como antigamente…

O mordomo acenou, com ar indulgente e afastou-se na direcção da cozinha, cruzando-se com Maria que ouvira os comentários de Mrs. Lair.

– Que mulher tão aborrecida! – confidenciou-lhe ele, em voz baixa, sorrindo. – Ninguém tem o copo vazio!

A rapariga devolveu-lhe o sorriso, compreensiva. Depois

deixou-o passar, para que se aprestasse a preparar a bandeja, e foi ter com Mrs. Hunt.

– O que faz Mrs. Lair na vida? – perguntou à anfitriã, quando se juntou a esta.

Mrs. Hunt estava a dar as últimas instruções à empregada quando viu Maria. Sorriu e disse:

– Adivinha!

– Eu diria que dava uma excelente actriz...

– E eu diria, como já disse uma vez, que tu és muito perspicaz!

– Acertei?! – perguntou ela.

– Em cheio! E já que Mrs. Lair passou a noite a desvendar os segredos dos outros, está na hora de alguém desvendar os dela... – disse, com ar vingativo.

– Sou toda ouvidos! – respondeu Maria, curiosa.

– Mrs. Lair é, de facto, actriz e o marido é também actor. Normalmente trabalham em peças diversas, aqui em *Theatreland*, mas nunca chegaram a ser famosos porque se limitam a fazer papéis secundários. Tanto quanto sei, viveram sempre nesta zona. A família dela era muito rica, mas, por qualquer razão misteriosa que desconheço, perdeu tudo o que tinha depois da II Guerra Mundial. Este prédio pertencia-lhes, mas foi vendido à minha família há muitos anos, com parte do recheio.

A informação interessou Maria. Se o recheio tivesse pertencido à família de Mrs. Lair, era provável que o quadro partido, assim como o panfleto e a carta, também lhe pertencessem. Aquela era uma das questões mais importantes que tinham para descobrir.

– *Todo* o recheio? – perguntou, fazendo os possíveis para não dar nas vistas.

– Não, apenas parte. Muito tinha já sido vendido em leilões, para pagar as dívidas da família. Por acaso o que sobrou até se encontra exactamente no apartamento que vos aluguei e no que tenho alugado aos Lair. Mas... não continha nada de grande valor.

Ao dizer isto, Mrs. Hunt observou Maria, como se tentasse discernir algo interessante na sua expressão. A jovem, porém, deu conta disso e fechou-se em copas.

– Não é estranho que os Lair continuem a viver no prédio que antes pertenceu à família dela?

– Sim, um pouco. Mas foi um acordo que se fez entre as duas famílias e eu continuarei a honrá-lo. Porém, talvez explique a razão pela qual Mrs. Lair gosta tanto de mexericos e de se meter na vida dos outros. É uma senhora rancorosa e, se queres que te diga, não me parece uma pessoa muito feliz.

Mencionou então o facto de Mrs. Lair ter recentemente declinado a oferta de Mr. Wang e a possibilidade de mudar de apartamento. Por fim, calou-se.

– E a senhora, Mrs. Hunt? O que faz na vida?

A pergunta da jovem pareceu perturbar a anfitriã que pensou alguns segundos antes de responder:

– A minha família também era muito rica. Porém, ao contrário dos Lair, continuamos a sê-lo e isso hoje permite-me não fazer mais nada para além de administrar os alugueres deste prédio.

A resposta pareceu satisfatória, mas havia ainda mais uma coisa que Maria precisava de saber.

– Porque é que interrompeu Mrs. Lair há pouco, quando ela estava a falar de mistérios relacionados com leões?

– Eu?... Interromper? Não, não! Se o fiz nem dei por isso... – gaguejou a senhora, tomada de surpresa. – Bom, vem comigo. Ajuda-me a servir o chá e o café.

«Que comportamento estranho», pensou Maria.

Assim que regressaram à sala, a campainha voltou a tocar. Desta vez era Mrs. Lair quem acabava de chegar, com um rosto perturbado.

– *You were right*! – disse, nervosa. – Tinhas toda a razão, *darling*! A colecção desapareceu! Alguém a roubou!

O burburinho tornou-se insuportável dentro da sala. Todos faziam perguntas para o ar, sem obter resposta.

A jovem Miss Merle voltou a oferecer a sua ajuda e, pegando no telemóvel, propôs-se ligar para a Polícia.

– Não! – exclamou Mrs. Lair, tirando-lho das mãos. – É inútil insistir! Não queremos a Polícia envolvida nisto.

Aquele «queremos» foi tão dúbio que causou um silêncio inesperado na sala. A quem se referia o plural? A Mrs. Lair e a Mrs. Hunt, ou simplesmente aos Lair?

– Não percebo... – queixou-se Miss Merle. – Só queria ajudar. No fim de contas, trata-se de um roubo! Posso compreender que se queira fazer uma verificação com a companhia de seguros, no caso do quadro, mas neste caso...?

– De facto, é necessário investigar – concordou Mr. Bliss, voltando a tirar o bloco de notas do bolso. – Encontrou sinais de arrombamento? Faltam outras coisas na casa? É preciso que alguém venha procurar pegadas, impressões digitais... Enfim, fazer um relatório da ocorrência!

Mrs. Lair deitou a ambos um olhar que não deixava margem para dúvidas. Era indispensável que ninguém se metesse naquele assunto. Os casos seriam tratados individualmente por Mrs. Hunt e pelos Lair.

– Bom, parece que este não é definitivamente o *Ano do Leão*, não é verdade, Mr. Wang? – disse Mrs. Hunt, nervosa, reparando que o chinês acabara de pedir o casaco ao mordomo e se preparava para iniciar as despedidas.

O homem franziu o sobrolho, ao ouvir a alusão óbvia às peripécias relativas ao quadro e à colecção de selos. Depois sorriu discretamente, inclinou-se com uma vénia subtil, acenou aos convidados e, sem proferir palavra, saiu do apartamento.

Os primos anotaram mentalmente o seu comportamento. Aquele era, sem dúvida, um indivíduo a manter debaixo de olho.

A expressão *Ano do Leão* teve o dom de hipnotizar Mrs. Lair, que depois de a ouvir se abstraiu de outros comentários e finalmente permaneceu em silêncio.

Uma série de pequenas rugas surgiram na testa de Ana. Havia ali qualquer coisa que não batia certo...

– *Oh, dear me*! – exclamou a anfitriã, atirando-se para o sofá, com ar de desalento. – Tantas surpresas desagradáveis no meu jantar. Era suposto ser um evento alegre e simpático, uma ocasião para nos conhecermos e afinal... Que noite!

– Talvez seja melhor irmos todos andando – disse o embaixador Torres, reconhecendo que a pobre senhora estava esgotada.

– Sim, é melhor. Agradeço-vos muito terem vindo – disse Mrs. Hunt, fazendo sinal ao mordomo para trazer os casacos dos convidados.

Os primos teriam preferido ficar mais um pouco pois, contrariamente ao semblante exteriorizado pelas outras pessoas, estavam tudo menos desanimados. Pela primeira vez desde que se haviam proposto investigar os segredos de *Craven Street*, tinham a certeza de que existia um caso verdadeiro ou, aliás, vários, a desvendar. De certa forma, até se sentiam aliviados por saber que não tinham andado a perder tempo a seguir pistas que não levavam a lado nenhum. Agora sim, com um quadro falsificado e uma colecção de selos roubada, tinham perante si, sem sombra de dúvidas, um crime a resolver.

Tratava-se de um caso repleto de aspectos misteriosos que, embora à primeira vista não parecessem estar ligados entre si, escondiam segredos incompreensíveis. O mais estranho era que vários objectos – a cantilena, o quadro e a colecção de selos – estavam relacionados com leões. Seria apenas coincidência, ou havia algo por trás de tudo aquilo?

* * *

No dia seguinte, Maria foi a primeira dos três jovens a levantar-se. Desta vez, resistindo ao impulso de acordar os outros, sentou-se na cozinha a tomar o pequeno-almoço – um sumo de laranja e uma taça de leite com frutos secos e cereais integrais – e a escrever algumas notas no seu livrinho de apontamentos. Depois de analisar os elementos inventariados, concluiu que existiam dois tipos de coincidências: além da coincidência relacionada com o número dez, havia agora outra que tinha a ver com leões.

Pousou o lápis na mesa e fez um esforço por recordar as faces e os dados relativos aos convidados que tinham conhecido na véspera. Para se distrair, voltou a pegar no lápis e a escrever no livrinho tudo o que se lembrava, juntamente com as suas impressões pessoais.

As notas estavam a tornar-se confusas, pois era muita informação. «O melhor é construir uma tabela», pensou.

Estava a começar o seu trabalho quando apareceu André, ainda ensonado, à procura do leite no frigorífico.

– Está aqui em cima da mesa – informou a prima.

– O que é que estás a fazer? – perguntou ele, enchendo a sua taça com cereais.

– Uma tabela com informações sobre os nossos dez vizinhos.

André deitou uma espreitadela ao livro da prima e pareceu satisfeito.

– Muito bem! É uma boa ideia. E se incluísses uma coluna ao lado do nome, com o apartamento e o andar onde vive cada um deles?

– Tens razão, isso dá imenso jeito.

Com a ajuda do primo, a tabela começou rapidamente a ser preenchida.

Pouco depois, aparecia Ana para se lhes juntar.

– Bom dia, dorminhoca! – riu Maria.

– Isso é que foi dormir! – disse o primo.

– Uhmm... – respondeu Ana, pegando na garrafa do leite. – Já se levantaram há muito tempo?

– Sim! Olha só o que já fizemos! – respondeu a irmã, mostrando-lhe a tabela.

A ideia de ajudar a completar a tarefa apagou os últimos resquícios de sono da rapariga.

– Acho que podíamos também acrescentar uma coluna para anotar a relação de cada um deles com leões, não acham? – perguntou Maria.

Nome	**Aparta-mento**	**Ocupação**	**Dados pessoais**	**Relação com leões?**
Mrs. Hunt	1 – r/c	Proprietária de todo o prédio	Cerca de 65 anos; possui estranho segredo no seu passado; família comprou prédio à família de Mrs. Lair, depois da II GM.	Quadro de S. Jerónimo e leão (**falsificado e roubado**)
Mr. Fields	2 – r/c	Trabalha na *National Gallery*	Não gosta de mexericos (nem de Mrs. Lair); tem ar de vampiro.	

Mrs. Sbarra	3 – 1º andar	Trabalha numa livraria de livros antigos	Italiana; viúva; era rica, mas marido foi à falência; vive há 8 meses no apartamento mais pequeno do prédio.	
Mr. Wang	4 e 5 – 1º andar	Ligações à Máfia chinesa?	Chinês, tipo reservado, mudou-se há pouco tempo para o 2º maior apartamento do prédio; fala pouco.	
Mr. Bliss	6 – 1º andar	Jornalista no *Sunday Times*	Jovem, curioso.	
Miss Merle	7 – 2º andar	Advogada	Jovem, curiosa, é a mais recente inquilina, entrou há uma semana.	
Mr. & Mrs. Lair	8 – 2º andar		Mrs. & Mr. Lair: cerca de 60 anos; ela: mexeriqueira, de família rica que perdeu tudo; ele: desajeitado, submisso e com um problema misterioso.	Colecção antiga de selos com leões herdada pelo marido (**roubada**)
Mr. Drake	9 – 2º andar	Negociante na *City*	Escocês; 40 anos; parece que tem o vício do jogo.	
Miss Price	10 – 3º andar		Prestável, jovem, simpática.	
Mr. Angelopoulos	13, 14 e 15 – último andar	Barão da indústria náutica grega	Muito rico, aluga os três melhores apartamentos.	

– Pronto, está feita. Agora podemos ir completando à medida que descobrirmos mais coisas.

– Achas mesmo que o quadro partido pertencia à família de Mrs. Lair? – perguntou Ana.

– Pelo menos foi isso que Mrs. Hunt me deu a entender, ao dizer que quase todo o recheio tinha pertencido à família de Mrs. Lair – reflectiu Maria. – Mas também me posso enganar, porque a verdade é que não lhe falei no quadro partido, no panfleto ou na carta com a cantilena.

– O facto é que o panfleto é de 1943, ou seja, anterior ao final da II Guerra Mundial – lembrou André.

– Tens razão, não tinha pensado nisso. A família de Mrs. Hunt só adquiriu o prédio depois da guerra… Mas pode ter misturado os seus livros com os dos Lair, depois disso, portanto não podemos concluir nada.

– E esta coisa dos leões? – perguntou André. – Será apenas uma coincidência?

– *Who knows?…* – murmurou Ana. – Vocês sabem o que eu penso das coincidências: têm quase sempre uma explicação.

– Mas é estranho ter-se falado tanto em leões durante o jantar e depois ter havido problemas com o quadro e com a colecção de selos – comentou André. – Como disse Mrs. Hunt, este não é mesmo o *Ano do Leão*…

– Uhmm… É isso! – exclamou Ana, lembrando-se do que antes a perturbara. – Não é, de facto, o *Ano do Leão*.

– Não – disseram André e Maria, em uníssono, espantados com a evidência.

– Acho que estamos no *Ano do Galo* – explicou o rapaz.

– Não é isso que quero dizer. Não existe nenhum *Ano do Leão*! Os animais do Zodíaco chinês são o Rato, o Búfalo, o Tigre, o Coelho, o Dragão, a Cobra, o Cavalo, a Cabra, o Macaco, o Galo, o Cão e o Porco! – enunciou, contando pelos dedos até chegar ao décimo segundo animal.

– Tens razão! Nem tinha reparado nisso.

– Eu também não...

– Nem vocês, nem Mr. Wang. Se havia uma pessoa com obrigação de ter percebido o lapso, era ele...

– Bem, ele fez uma cara estranha, mas de facto não disse nada – recordou Maria.

Reflectiram individualmente, em silêncio, como se tivessem chegado a um beco sem saída.

– É um caso bem estranho, este – disse André, pensando em voz alta. – Temos dez vizinhos, todos eles vivem no mesmo prédio e praticamente nenhum se conhecia antes do jantar de ontem. Entretanto, descobrimos um panfleto de uma peça de teatro (que até agora não nos levou a lado nenhum), e uma carta com uma cantilena que ninguém percebe.

– Contudo e só para complicar a história – prosseguiu Maria – parece existir um elo de ligação entre a nossa carta e estes dez vizinhos. Esse elo são os leões, pois ontem ficámos a saber que dois deles possuíam objectos relacionados com estes animais...

– Objectos esses que desapareceram misteriosamente... – concluiu Ana. – Por falar nisso, não acharam estranho que nem Mrs. Hunt nem os Lair tenham querido chamar a Polícia?

– Muito estranho, mesmo – disse Maria. – Eu fiquei com a impressão de que todos eles tinham algo a esconder. E quando digo *todos*, quero mesmo dizer *todos*.

Os outros olharam-na, com ar de interrogação.

– Pois... até escrevi isso no meu bloco de notas. Mrs. Hunt, por exemplo, para além do tal segredo no seu passado que não revela a ninguém, não quis chamar a Polícia quando Mr. Fields descobriu que o quadro era falso.

– E o que pensam da história da falsificação?

– A menos que o documento do avaliador seja também falso, o que não creio – disse Maria –, só há duas hipóteses: ou alguém roubou o quadro verdadeiro e o substituiu pela falsificação sem que Mrs. Hunt desse conta... ou foi a própria Mrs. Hunt a roubá-lo e a encenar toda aquela história.

– É possível – concordou a irmã. – Sobretudo sabendo que o quadro tinha seguro e que ela poderá receber o dinheiro da companhia.

– De Mrs. Lair nem é preciso falar – continuou André. – As coscuvilheiras têm sempre mais coisas a esconder do que qualquer outra pessoa.

– Realmente ela disse uma coisa estranha, durante o jantar: afirmou que a sua avó conhecia bem o escritor Melville, o que não é possível – disse Maria e explicou a lógica por trás da sua dedução.

– Realmente não faz sentido – concluiu a irmã. – Mas também pode não ter importância nenhuma. Talvez se tenha enganado e tenha confundido o nome dele com o de outro escritor...

– Talvez... Mas ela também não quis chamar a Polícia apesar de dizer que a sua colecção era «valiosíssima». E há ainda o tal «problema» do marido. O que será?... – sondou André.

– Não sei, mas Mrs. Hunt também me disse outra coisa esquisita: Mrs. Lair teve a possibilidade de passar para um apartamento maior sem ter de pagar a diferença e não quis. Preferiu ficar no seu – contou Maria.

– Uhmm... E Miss Merle e Mr. Bliss? – perguntou Ana. – Sempre tão prestáveis a quererem ajudar!... Será apenas curiosidade ou haverá mais alguma coisa que ainda não sabemos?

– E Mr. Fields, com aquele ar de vampiro? – prosseguiu Maria. – Acho que não gosta mesmo nada de Mrs. Lair.

– Pior ainda é Mr. Wang – lembrou André. – E se estiver realmente ligado à Máfia? Se calhar é ele que está por trás dos roubos...

– Se considerarmos que não houve, em nenhum dos dois casos, sinais de arrombamento, é natural que o ladrão conhecesse bem as vítimas, assim como o interior das casas e do prédio. Talvez seja mesmo ele o suspeito principal...

– Não se esqueçam de que estamos a desconfiar dele baseados nos mexericos de Mrs. Lair. E ela não parece ser muito de fiar – recordou Maria.

– Do grego Angelopoulos, nada sabemos – disse Ana, passando ao inquilino seguinte. – Miss Price e Mr. Drake também deram muito pouco nas vistas.

– E Mrs. Sbarra parecia muito interessada em falar da sua vida antes que outros o fizessem por ela, mas se não fosse Mrs. Lair, não tínhamos ficado a saber que também perdera tudo...

Novo silêncio, novo beco sem saída.

– Então o que é que fazemos? – perguntou Ana. – Qual é o nosso próximo passo?

– Talvez não fosse má ideia falarmos precisamente com Mrs. Sbarra e perguntarmos-lhe se sabe alguma coisa daquele panfleto... – propôs André, tentando camuflar as suas verdadeiras intenções.

– Estou a perceber... Tu queres é que ela to avalie! – desmascarou-o Maria.

André, apanhado com a boca na botija, corou.

– Bem, mas visto que não temos grandes pistas para seguir... temos de começar por algum lado! – defendeu-o Ana, que também tinha as suas razões para visitar a senhora.

– Pois... E tu ias mesmo perder a oportunidade de entrar numa livraria cheia de livros antigos... – disse Maria, rindo.

* * *

O plano ficou aprovado e foi posto em execução rapidamente. Em menos de dez minutos estavam a sair de casa, bem agasalhados com gorros, luvas e cachecóis, pois a manhã estava fria.

Deixaram *Craven Street*, passaram à *Strand* e atravessaram *Trafalgar Square* na direcção de *Charing Cross Road*.

A meio da praça, André deteve-se a olhar para os quatro leões de bronze, à volta da *Nelson's Column*, esculpidos em 1868 por Sir Edwin Landseer.

– Mágicos! – exclamou, com certo desdém. – As coisas que aquela mulher inventa. Dá a impressão que pretendia focalizar a nossa atenção nos leões...

– Se calhar era mesmo isso que ela queria – considerou Ana. – Só não sei porquê...

– Vá lá, escolheu leões. Imaginem se tivesse escolhido pombos! – riu André, baixando a cabeça de repente. – Aí é que tínhamos imenso trabalho para fazer. Olhem só para isto! São aos milhares!

Por momentos, a distracção levou-os a esquecer o seu propósito. Divertidos, deixaram-se ficar sentados na enorme escadaria da praça a observar as razias que os malfadados animais faziam às cabeças dos turistas. Não foi preciso muito para que André se lembrasse de inventar mais um concurso disparatado. Desta vez, o objectivo era contar o número de visitantes incautos que abandonavam o local, irritados, após receberem uma prendinha dos pombos, especialmente quando esta era colocada nalguma parte mais cómica do corpo, como os ombros, a cabeça, ou mesmo o nariz, o que valia muitos mais pontos.

Ainda não tinham passado cinco minutos quando Maria, às gargalhadas, entregou um lenço de papel ao primo, dizendo:

– Bem, parece que se virou o feitiço contra o feiticeiro!

André nem queria acreditar. Tinha acabado de receber, com entrega prioritária, uma recordação de Londres, na ponta da bota esquerda.

– Que seca! – queixou-se, limpando a porcaria.

– Vá lá, não desanimes! – riu Maria, entregando-lhe a mochila. – Desta vez ganhámos nós o concurso, não concordas, Ana?

Assim que a vontade de rir lhes passou, levantaram-se e fizeram-se à estrada. Ao passarem ao lado da *National Gallery*, André teve uma ideia.

– E se fôssemos ver o original do quadro da Mrs. Hunt?

As irmãs concordaram, curiosas.

Entraram na galeria monumental, pediram o mapa das exposições e subiram as escadas que os levariam à *Sainsbury Wing*, a ala mais a oeste de todas e onde esperavam encontrar o quadro entre as pinturas italianas de 1250 a 1500.

Maria foi a primeira a encontrá-lo, mas não reparou na surpresa que esperava por eles, mesmo ali ao lado.

– Mr. Fields! – exclamou André. – Que coincidência!

– Não é assim uma coincidência tão grande... – atalhou ele, com ar de poucos amigos. – Afinal de contas, eu trabalho aqui dentro, vocês moram aqui perto e ontem todos nós presenciámos um episódio muito curioso relacionado com um estudo deste quadro.

Ana sorriu. Tinha pensado exactamente no mesmo.

– Tem razão – disse ela. – Não é uma coincidência assim tão grande. Mas, diga-nos, já conhecia aquele estudo de *S. Jerónimo e o Leão* que Mrs. Hunt tem em casa?

– Para dizer a verdade, não. Mas estive a informar-me hoje de manhã, nos arquivos da galeria...

– E?... – perguntou Maria, curiosa.

– E nada – voltou ele a atalhar.

Era óbvio que a curiosidade não constituía para ele um atributo a valorizar.

– É um quadro muito interessante – disse Ana, tentando abordar o homem de forma menos directa. – Francesco Pesellino não era muito conhecido, pois não?

– Uhmm... – resmungou o Mr. Fields. – Não, nem por isso. Mas fez alguns trabalhos excelentes, como *A História de David e Golias*, ou O *Triunfo de David sobre Saul*, que também temos aqui expostos.

– E o leão? Que significado tem neste quadro?

– O leão aparece em muitos dos quadros que representam S. Jerónimo. É uma história curiosa a deste santo. Foi ele quem criou a *Vulgate*, a tradução da Bíblia da versão original, hebraica e grega, para a versão latina.

«Acontece que a partir de certa altura lhe atribuíram um feito que na realidade pertencia a um outro santo. Dizem que conseguiu retirar um espinho da pata de um leão, como vêem neste quadro. A partir daí o leão acompanhou-o sempre.»

Os primos observaram a pintura, abstraídos, reparando que, de facto, S. Jerónimo retirava um enorme espinho da pata direita do leão.

– Mas se não sabia da existência do estudo, como é que descobriu que se tratava de uma falsificação? – perguntou Maria, sem se conter.

– São muitos anos de experiência – respondeu ele. – E não é preciso conhecer a existência de um quadro para saber que não foi pintado no século XV, mas muito mais tarde. No nosso século...

– Ah... estou a ver – disse ela. – E onde é que poderá ter ido parar o original do estudo?

– Que disparate. Eu é que sei? Tenho cara de adivinho, por acaso? Porque é que não vais perguntar isso a Mrs. Hunt? Ela é que deve saber... *Have a nice day*!

E afastou-se a passos largos.

– *Have a nice day* também para si! – riu André. – Que tipo mais mal encarado.

– Acho que está convencido de que Mrs. Hunt está por trás da falsificação – disse Maria. – Se calhar aquela teoria de ela querer enganar a companhia de seguros até está certa.

– Quem sabe se ela não organizou o jantar de ontem, de propósito, para revelar que o quadro era falso, usando Mr. Fields, que percebe destas coisas? – propôs André.

– Não é nada mal pensado... – considerou Ana. – Se me recordo bem, até foi ela quem propôs mostrar o quadro a todos, quando o André lhe falou na garrafeira.

– Pois foi! E já agora... Mr. Bliss não mencionou que este quadro tinha estado envolvido num roubo há uns anos atrás?... – perguntou Maria.

IV

A LOJA DE LIVROS ANTIGOS

– Temos de investigar isso na Internet assim que pudermos… – propôs a irmã.

Maria anotou a ideia no seu bloco de notas e pouco depois os jovens abandonaram a galeria para se deslocarem à loja de livros antigos onde trabalhava Mrs. Sbarra.

Subiram pela *Charing Cross Road*, passaram ao lado dos teatros *Garrick* e *Wyndham's*, atravessaram a *Cranbourn Street* que levava a *Leiscester Square* e meteram por uma viela que quase passava despercebida aos turistas.

– Segundo as nossas indicações, deve ser aqui perto – disse André, lendo o mapa que levava nas mãos.

Avistaram uma série de pequenas livrarias que, em reclames e cartazes expostos na rua, anunciavam a venda de livros antigos, livros usados e livros raros.

– Mrs. Sbarra disse que a loja se chamava *The Bookfinder* e que tinha uma porta verde – informou Maria.

Caminharam mais uns metros, atentos a todas as lojas e lojinhas e finalmente encontraram o que procuravam: uma livraria com uma porta verde e um cartaz onde se lia *The Bookfinder*.

Na pequena montra via-se o seguinte anúncio:

We buy and sell rare books
Please ask inside

Na vitrina estavam expostas as últimas preciosidades adquiridas. Entre elas, Maria reparou numa primeira edição de *Alice no País das Maravilhas*, de Lewis Carrol, cujas ilustrações tinham sido pintadas a aguarelas.

Cá fora, alguns caixotes de livros usados tinham sido arrumados em cima de uma bancada para serem vendidos com desconto.

– É aqui! – exclamou Ana, cheia de emoção, parada à frente da montra.

A porta encontrava-se fechada, como acontecia com a maior parte das livrarias do género, e não se via ninguém lá dentro. Nem clientes, nem proprietário, nem Mrs. Sbarra.

Os jovens espreitaram através do vidro. Ao fim de alguns instantes decidiram entrar, alarmando o espanta-espíritos de cilindros metálicos pendurado no interior. Porém, o aviso não foi suficiente para despertar o interesse de quem quer que se encontrasse no interior da loja.

Já dentro da livraria, os jovens dispersaram, dedicando-se individualmente a pesquisar cada uma das três paredes da sala, todas elas com estantes repletas de livros antigos, de aspecto muito bem preservado.

Ana contemplou, extasiada, as lombadas de uns manuscritos enormes, fechados à chave num armário central. «Devem ser valiosíssimos!», pensou. Enquanto isso, André e Maria tentavam perceber que tipo de livro se vendia ali com maior preponderância, se livros infantis, ou livros científicos, todos eles com um ou mesmo dois séculos de existência.

Embora caminhassem pela pequena livraria em completa abstracção, todos eles continuavam a achar estranho que ninguém lhes viesse perguntar se desejavam algo em particular. «E se entrarem aqui ladrões?», pensou André, olhando para os cantos do tecto. «Ou então talvez tenham câmaras de filmar escondidas e nos estejam a observar...»

A livraria tinha uma atmosfera cálida e de certa forma familiar, como se o proprietário desejasse transmitir ao cliente a sensação de se encontrar em casa, na própria sala, rodeado de livros da sua biblioteca pessoal, mas ainda assim misteriosamente desconhecidos.

As *Valsas e Impromptus* de Chopin ouviam-se como música de fundo, em notas de piano suaves, perfazendo a harmonia do espaço.

– Há mais livros lá em baixo... – disse Ana, minutos depois, reparando nas escadas de madeira que conduziam até à cave.

Os outros voltaram as cabeças na sua direcção, curiosos, interrompendo o exame das obras.

– Vamos ver? – perguntou Maria, começando a descer os primeiros degraus.

Para surpresa dos três aventureiros, aquilo que a princípio lhes parecera uma pequena livraria era, afinal, um enorme espaço subtraído às entranhas da terra, no qual se tinham construído túneis estreitos, forrados a prateleiras recheadas de livros, interligando salinhas minúsculas de dois metros quadrados cada uma.

O cheiro a papel antigo entrava-lhes pelas narinas a cada passo e o facto de se pensarem sozinhos ali dentro provocava-lhes uma sensação esquisita no estômago.

– Que lugar incrível! – murmurou Ana, pegando num dos livros. – Este é de Geografia, de 1840. Olhem só para estes mapas!

– E este é de aventuras! – exclamou a irmã, abrindo um pequeno livro repleto de ilustrações a cores, de 1927, da colecção

The Hardy Boys, sobre dois irmãos que acabavam sempre por ajudar o pai, um detective privado, a resolver os seus casos.

– As encadernações são tão giras! – comentou André. – São muito diferentes dos livros de hoje, não são?

De repente, ouviram passos que se aproximavam deles, seguidos de uma voz conhecida:

– Ora, ora, quem me veio visitar! *Buongiorno*! A que devo este prazer?

– Olá Mrs. Sbarra... – cumprimentaram os jovens.

– Nem a tínhamos visto! – disse André.

– Pois... Eu estava no escritório, a avaliar uns livros que me trouxeram esta manhã.

A italiana tinha um ar muito profissional, com os óculos apoiados a meio do nariz e os cabelos bem penteados, caindo-lhe sobre os ombros. Vestia uma saia e uma camisa, por cima da qual colocara um *pullover* sem mangas que lhe conferia uma aparência muito moderna, não obstante os seus sessenta anos.

– A avaliar livros? – perguntou o rapaz, interessado. – E... por acaso encontrou algum valioso?

– Alguns deles são primeiras edições raras, que podem valer bastante... Pertenciam a uma velha senhora que habitava em *Neil Street* e que faleceu há uns meses atrás. O sobrinho herdou a biblioteca, mas parece-me que está mais interessado em dinheiro do que nos livros... Quer vendê-los e precisa de saber quanto lhe ofereço por eles.

– E quanto será? – insistiu André.

– És muito curioso! – riu a italiana. – A julgar pelo que avaliei até agora devem ser uns milhares de libras...

Dois grandes cifrões voltaram a substituir a menina dos olhos de André.

– Mas calculo que não tenhas vindo até aqui para falar de avaliações... – prosseguiu ela.

– Bem, na verdade... – balbuciou o rapaz, abrindo a mochila e tentando explicar-lhe a verdadeira razão da sua visita.

A senhora, porém, não o deixou terminar e interrompeu-o.

– Vieram ver o meu livro, não foi? – disse ela, orgulhosa, afastando-se e fazendo-lhes sinal para a acompanharem.

Os jovens olharam uns para os outros, surpreendidos. Estaria ela a referir-se ao tal livro valioso que Mrs. Lair mencionara na noite anterior? Mas como é que ela sabia que eles tinham conhecimento da sua existência? Não fora ela a falar-lhes nele, mas Mrs. Lair... Além do mais, não era suposto ser um segredo?

Seguiram-na através de um estreito corredor que conduzia ao fundo da livraria até chegarem a uma salinha tão exígua quanto as outras e que apenas se distinguia das demais por ser a última.

Os jovens olharam à sua volta, perscrutando as lombadas dos livros arrumados nas estantes, todos eles de aspecto antigo, tentando adivinhar qual deles seria o manuscrito de Mrs. Sbarra.

A senhora, de costas voltadas para eles, esticou o indicador direito e colocou-o no topo da lombada de um pequeno livro de encadernação despretensiosa, na estante à sua esquerda. Tinha uma capa dura e avermelhada e estava menos bem preservado do que os restantes. Depois, puxou por ele devagar, inclinando-o e mantendo o canto inferior esquerdo apoiado na prateleira, mas sem chegar a retirá-lo da estante. Por fim deteve-se, como se algo a surpreendesse, fez uma careta e voltou a repor o livro no seu lugar.

Os primos seguiam todos os seus movimentos, também eles surpreendidos. Não só lhes parecia estranho que se guardasse um livro tão valioso no meio de centenas de outros livros normais, como não compreendiam que um manuscrito de características tão anónimas como aquele pudesse ter um valor significativo.

– *Non capisco*... – disse a italiana, admirada, com o indicador imóvel pousado sobre a lombada do livro. – Ainda na semana passada funcionava tão bem!

– Como? – perguntou Maria que, tal como os outros, não estava a perceber nada. – O que é que funcionava bem?

Um ruído mecânico por detrás da estante elucidou-os de imediato.

«Claro!», disse Ana, para com os seus botões. «É uma entrada secreta e o livro é apenas a alavanca necessária para a abrir!».

Mrs. Sbarra certificou-se de que o livro estava bem inserido no seu lugar. Depois puxou de novo pela parte superior da lombada, com cuidado, atenta a todos os sons metálicos que se iam ouvindo por trás dos livros. Por fim, sorriu. Tinha obtido o resultado esperado.

Ouviu-se um *clic* muito nítido e, logo a seguir, a estante adjacente, à direita, começou a mover-se para a esquerda, como se fosse uma porta deslizante. Por trás dela, viu-se então uma parede de cimento, no centro da qual se vislumbrou uma portinha de madeira. Por trás dela, alguém escavara um buraco de cerca vinte centímetros de lado.

Os primos olharam uns para os outros, divertidos. Adoravam esconderijos.

– *Eccola!* – exclamou a senhora, retirando uma caixa de madeira preta do interior do buraco. – Cá está ela.

– Ela? – perguntou André, confuso. – Mas não era um livro que queria mostrar-nos?

– Segura na caixa – pediu Mrs. Sbarra, enigmática.

Enquanto os jovens olhavam fixamente para o objecto que André segurava nas mãos, a senhora pediu licença a Maria, pois o espaço era realmente exíguo, e retirou um outro livro da estante à sua direita. Depois abriu-o, dizendo:

– Precisamos da chave…

Mostrou-lhes então um pequeno buraco que tinha sido escavado recortando o interior das páginas do livro. Lá dentro escondia-se uma chavezinha dourada.

Os primos nem queriam acreditar. Estavam desejosos de ver o que se encontrava dentro da caixa. Devia realmente ser muito valioso!

Mrs. Sbarra retirou a chave do interior do livro, entregou-o a Maria e finalmente abriu a caixa.

Os jovens esticaram os pescoços, impacientes para vislumbrar o conteúdo, mas ainda não tinha chegado o momento certo. Suspiraram quando a senhora extraiu o objecto, pois este encontrava-se envolvido num saco de linho amarelado.

– Parecem bonecas russas! – exclamou André, inquieto. – Todas umas dentro das outras! Quando é que chegamos ao fim?

– Tens de ter paciência – sorriu a italiana, divertida com a agitação do rapaz. – Está quase…

De repente, ouviram o som do espanta-espíritos no andar de cima e voltaram-se para trás.

– Deve ser algum cliente… – murmurou Mrs. Sbarra, preocupada, fechando de novo o objecto dentro da caixa de madeira. – Está aí alguém?

Esperou alguns segundos, de ouvido à escuta e, como não obtivesse resposta, voltou a abrir a caixa. Pegou no saco de pano, puxou os cordões que o fechavam e só então retirou dele o valioso tesouro.

– Devem ter voltado a sair – disse, antes de o exibir.

Os primos deixaram escapar uma exclamação de pasmo. Nada do que pudessem ter imaginado jamais se aproximaria do que tinham à sua frente.

– Aqui está ela, a minha bíblia – disse a senhora, orgulhosa.

– In… crível… – murmurou Ana, de boca aberta.

O livro era uma jóia autêntica. A capa era feita de ouro e prata dourada e tinha no centro uma oval de veludo escarlate. A meio desta, uma cruz de safiras cor-de-rosa tinha sido montada num lindíssimo medalhão cravejado a diamantes e ágatas. No resto da capa posterior, na lombada e nos dois fechos laterais tinham sido cravados rubis, esmeraldas, diamantes e pérolas, enriquecendo os motivos desenhados e pintados com enamel de diversas cores.

– Esta bíblia foi feita em Paris, no início do século XIX, embora siga os modelos de encadernação medievais, segundo

os quais as capas de livros importantes eram cravejadas com pedras preciosas – explicou Mrs. Sbarra. – Pertenceu à esposa de um nobre francês e vale uma fortuna, como podem imaginar.

Os três jovens não se tinham ainda refeito da surpresa. Durante longos segundos, abstiveram-se de falar e não tiraram os olhos do objecto precioso.

Entretanto, Maria reparou num pormenor que lhe prendeu a atenção: na capa da bíblia, ao lado da cruz de safiras, encontrava-se uma insígnia com um fundo azul, no centro da qual repousava a figura dourada de um leão. Seria apenas mais uma coincidência?

– É uma herança do meu falecido marido. Felizmente conseguiu salvá-la dos credores quando foi à falência – admitiu a senhora, confirmando o que Mrs. Lair lhes contara durante o jantar. – Este esconderijo foi feito por ele, quando a livraria ainda era nossa. Depois, quando ele faleceu e as dívidas se acumularam, fui obrigada a vendê-la, mas consegui convencer o novo proprietário a deixar-me cá ficar para a gerir. É claro que ele não faz ideia da existência deste esconderijo, nem da minha bíblia. Aliás, quase ninguém sabe. Tenho a certeza de que vocês saberão guardar segredo, não é verdade?

Os jovens acenaram de imediato, contentes por ver que a senhora depositava neles tanta confiança.

– Obrigada por nos ter mostrado este tesouro – balbuciou Ana, para quem os livros eram valiosos mesmo que não estivessem adornados com tantas jóias.

– Sim… é mesmo excepcional – concordou André, preparando-se para retribuir a confiança revelando o segredo que o grupo detinha. – Mas… Nós viemos aqui por outra razão…

A senhora olhou para ele, espantada.

– Outra razão? – perguntou. – Que razão? Agora quem está perplexa sou eu… – Então não vieram até aqui para ver a minha bíblia?

– Não – começou por explicar Maria. – Encontrámos um panfleto escondido no nosso apartamento em *Craven Street* e gostaríamos de lhe perguntar se nos pode dizer algo sobre a sua origem.

– Um panfleto? – indagou a italiana, cada vez mais espantada. – E já perguntaram a Mrs. Hunt? Deve ser dela, com certeza.

O embaraço dos jovens era de tal forma evidente que Mrs. Sbarra decidiu não pedir mais explicações.

– Mostrem-mo cá – solicitou.

André abriu a mochila, mas, antes de retirar o panfleto, certificou-se de que a carta misteriosa que colocara ao seu lado não vinha agarrada a ele. Aquele era um segredo que não estavam ainda dispostos a revelar a ninguém.

Assim que pegou no panfleto, a senhora acusou um brilho estranho nos olhos. Ou seria apenas impressão?

– Uhmm... – murmurou, observando o papel com ar entendido. – 1943... Só pela data, já vale algum dinheiro...

André sorriu e olhou para as primas, satisfeito.

Mrs. Sbarra leu e releu o conteúdo do papel, virou-o ao contrário, observou-o em contraluz e finalmente pronunciou-se.

– ... Mas para além disso... não tem nada de especial – acabou por revelar, sem tirar os olhos do papel.

– Nada?! – perguntou André, desanimado. – Mesmo nada?

– Não – respondeu ela. – Trata-se apenas do anúncio de uma estreia de teatro. Não sei o que é que vocês esperavam ouvir, mas não creio que haja alguma história interessante por trás dele. Não deve valer mais que umas cinquenta libras.

Os primos olharam uns para os outros, desiludidos.

– Mas é de uma peça de Agatha Christie... – disse André, ainda esperançado.

– Quem? Uhmm... – disse a senhora, voltando a fechar a bíblia na caixa de madeira e introduzindo-a no buraco por trás da estante, que fechou com cuidado. – Esperem aqui um bocadinho. Vou fazer um telefonema e volto já.

Ao vê-la desaparecer ao fundo do corredor, Ana perguntou:

– O que é que vocês acham?

– Ela está enganada! – exclamou André. – De certeza que há algo interessante por trás do panfleto, mas para o descobrirmos precisamos de descortinar quem escreveu a carta misteriosa.

– E está fora de questão mostrar-lha... – disse Maria. – Não podemos revelar a sua existência a ninguém enquanto não tivermos as ideias um pouco mais claras.

– Sim... Só que por este andar nunca mais lá chegamos... – queixou-se André.

Ouviram passos apressados vindos do corredor. Era Mrs. Sbarra que vinha a correr. Quando chegou ao pé deles, disse, quase sem fôlego:

– Vocês dizem que encontraram o panfleto escondido no vosso apartamento? Pois bem... Tenho uma cliente que está potencialmente interessada. Estou disposta a oferecer-vos quinhentas libras por ele.

– Quinhentas libras?! – exclamou André, admirado. – São cerca de setecentos e cinquenta euros...

– Sim, mas... – balbuciou Maria.

– Está bem! Está bem! – resmungou a italiana. – Dou-vos seiscentas libras, pronto!

Os primos trocaram olhares desconfiados.

– *Ok... final offer*! Oitocentas libras! – ofereceu ela, com uma estranha insistência.

– Vamos ter de pensar no assunto – interrompeu Maria, retirando o panfleto das mãos da mulher.

Ana e André olharam um para o outro, intrigados.

– Uhmm... – murmurou a italiana. – Mas pensem bem! Olhem que é uma oferta excepcional.

– Sim, sim. Claro. Vamos pensar nela – respondeu Maria, voltando-se para sair.

– Esperem!... – pediu a senhora.

A sua voz adquirira um tom de certa exigência. Os jovens esperaram.

– Já agora... Mrs. Hunt pergunta se não querem assistir ao concerto de Bach, esta noite, na igreja de *St. Martin-in-the-Fields*? Trata-se do concerto de Brandenburgo nº. 5 e das cantatas nº. 204 e...

– Mrs. Hunt? – perguntou Ana, surpreendida, interrompendo Mrs. Sbarra.

– Sim... – balbuciou ela. – Disse-mo hoje de manhã... Encontrei-a à entrada, quando eu ia a sair. Pediu-me para o dizer também aos vossos pais. Tenho a certeza de que vão gostar muito! São concertos à luz das velas, *Concerts by Candlelight*...

– É uma boa ideia – disse Maria, puxando pelos outros. – É claro que iremos.

Ana e André franziram o sobrolho.

– Então vemo-nos mais logo, está bem? – insistiu a italiana.

Os jovens saíram da livraria, confusos com o episódio a que tinham acabado de assistir. Já cá fora, André comentou:

– Que coisa mais estranha...

– Que *coisas* mais estranhas! – corrigiu Ana.

Caminhavam na direcção de *Leicester Square*, mas antes de lá chegarem, desviaram para *Gerrard Street*, o centro de *China Town*. Maria seguia à frente, absorta nos seus pensamentos.

– Não acharam esquisito que de um momento para o outro o panfleto passasse a valer tanto dinheiro? – perguntou o rapaz.

– Pois, de facto não se compreende como possa ter passado de cinquenta a oitocentas libras, em poucos minutos – comentou Ana.

– Em poucos minutos e logo após o tal telefonema – disse Maria, que entretanto voltara a participar na conversa. – A propósito, não vos pareceu que a cliente que telefonou a fazer a oferta tinha sido Mrs. Hunt?

– Achas que sim? – perguntou André. – Porque é que pensas que foi ela?

– Por três razões: primeiro, porque Mrs. Sbarra só nos perguntou se queríamos ir ao concerto em *St. Martin's*, exactamente a seguir a ter falado com a tal cliente ao telefone; segundo, porque quando a Ana se mostrou surpreendida ao ouvir o nome de Mrs. Hunt, Mrs. Sbarra gaguejou, dando a impressão de ter acabado de inventar que a vira de manhã; terceiro, porque Mrs. Hunt nunca entra pela porta principal, uma vez que tem a sua entrada privada, pelo jardim!

– Talvez tenhas razão quanto às duas primeiras hipóteses, mas... – hesitou a irmã – ...em relação à terceira, tenho as minhas dúvidas. – Mrs. Hunt podia ter ido buscar o correio à entrada principal. Tu própria a encontraste ali uma vez, não foi?

– Sim, mas... Se Mrs. Sbarra a viu quando ia a sair para o trabalho... ainda não deviam ser nove horas!

– E?...

– Era demasiado cedo. A essa hora o carteiro ainda não tinha passado, por isso não havia correio para ver.

– Uhmm... – murmurou Ana, que ainda não estava convencida.

Passaram sob os portões vermelhos de *China Town* caminhando, distraídos, na direcção de *Wardour Street*. Dezenas de restaurantes chineses alinhavam-se na rua, com patos inteiros alaranjados e luzidios pendurados nas vitrinas. Ao seu lado, chocos gigantescos, de um exótico cor-de-laranja, bolinhos e pastéis chineses, doces e salgados de várias qualidades.

Intercaladas com os restaurantes apinhados de chineses na sua hora de almoço, viam-se lojas de artigos variados, com chás, estatuetas, isqueiros com formas engraçadas, pauzinhos de incenso, roupas, leques ou medicinas sortidas.

– Porque é que Mrs. Hunt havia de oferecer oitocentas libras por um panfleto que já lhe pertence? – insistiu Ana, voltando à carga.

– Porque não sabe que é dela! – explicou Maria. – Com certeza Mrs. Sbarra não lhe revelou a origem do panfleto. O papel dela é fazer de intermediária e ganhar algum dinheiro com isso. Se Mrs. Hunt descobrisse que somos nós quem o tem e que o encontrámos no seu apartamento, a venda já não se fazia pois o panfleto pertence-lhe por direito.

– Então Mrs. Sbarra não está a ser muito correcta, se quer vender uma coisa a Mrs. Hunt sabendo que já lhe pertence por direito… – disse André.

– Bem, na verdade nós é que não estaríamos a ser muito correctos se lhe vendêssemos uma coisa que não nos pertence a nós – lembrou Maria. – Mas não é esse o caso, porque não temos intenção nenhuma de o vender.

– Pois, só queremos obter informações sobre ele… – disse André, um pouco envergonhado.

Tinham acabado de virar à esquerda em *Wardour Street*, quando no meio da multidão viram uma cara conhecida que circulava naquela zona.

– Aquele não é Mr. Wang? – perguntou André.

– Sim, é mesmo ele! – concordou Maria.

O chinês encontrava-se do outro lado da rua e vestia um fato cinzento pouco elegante e nada a condizer com uma gravata amarela-clara de escasso bom gosto.

– Parece que está a discutir com aquele homem, não parece? – perguntou Ana.

O interlocutor, também ele oriental, baixo e bastante musculoso, tinha um ar antipático e parecia muito mal intencionado sempre que elevava a voz a cada resposta de Wang. Este, igualmente com cara de poucos amigos, a certa altura esbracejou, indignado com o que o outro lhe acabara de dizer.

A discussão prolongou-se, levando vários curiosos a deter-se no passeio. Depois, acabou por tornar-se tão feia que um grupo de três capangas se aproximou. Agarraram em Mr. Wang pelos colarinhos e encostaram-no à parede.

André deu dois passos em frente, com intenção de atravessar a estrada, mas Maria deteve-o.

– Onde é que vais? – perguntou, assustada.

– Quero ver o que vai acontecer!

– E não podes ver daqui? Aqueles tipos são perigosos.

O primo acedeu, mas ainda assim afastou-se dela uns metros para ver melhor o que se passava no meio dos cinco homens. De repente, viu um deles sacar de uma faca e encostá-la à garganta de Wang, enquanto o chefe do grupo perscrutava os bolsos deste e prosseguia com as suas acusações. Quando encontrou o que procurava, um maço de notas que esfregou na cara da vítima, berrou qualquer coisa em chinês, enfiou o dinheiro no bolso do seu próprio casaco e finalmente empurrou Wang, que recuou, amedrontado.

A cena, porém, estava longe de terminar. Ainda a poucos metros de distância, o homem retirou uma pequena estatueta do seu bolso, atirando-a furiosamente a Wang, que a apanhou no ar.

Graças à posição em que estava, André conseguiu obter uma excelente visão do lance.

– Viram aquilo? – exclamou, excitado. – Era um leão! Tenho a certeza!

As duas irmãs não perceberam as suas palavras, pois estavam demasiado longe.

Naquele momento, passou por eles um carro da Polícia, levando a pequena multidão a dissipar-se em poucos segundos, como por magia.

Wang aproveitou a distracção e, sem ninguém dar conta, desapareceu sem deixar rasto.

– Vocês viram o que eu vi, não viram? – perguntou de novo André, ansioso, aproximando-se de Ana e Maria. – Era um leão, não era?

As duas irmãs encolheram os ombros. Não tinham a certeza, não podiam confirmar.

– Era, sim! – insistiu o primo.

– Não terás imaginado? – perguntou Maria. – Com esta história dos leões, se calhar foi pura sugestão…

– Qual sugestão, qual carapuça! – ripostou o rapaz, seguro de si. – Sei muito bem o que vi!

– Uhmm... Não seria um dragão? – inquiriu Ana. – Os chineses ligam muito mais aos dragões... Segundo a lenda chinesa, quando Buda estava quase a morrer, decidiu convocar uma reunião para se despedir de todos os animais, mas os únicos a aparecer foram os tais doze. Buda quis homenageá-los e assim atribuiu um dos doze signos do Zodíaco a cada um deles. E não havia nenhum leão no grupo...

– Obrigado pela explicação – disse André. – Mas embora fosse pequeno, tenho a certeza de que se tratava de um leão. E se querem saber a minha opinião, penso que Mr. Wang vendeu uma estatueta falsa ao outro tipo e este, ao descobrir o engano, quis o dinheiro de volta.

– Por acaso também pensei na mesma coisa – concordou Maria. – Com aquela história de lhe usurpar o dinheiro do bolso e depois lhe atirar a estatueta... parecia mesmo que lha estava a devolver.

– Este caso está a ficar cada vez mais complicado. Até podíamos chamar-lhe O *Caso dos Leões*... Só hoje vimos dois, um na bíblia de Mrs. Sbarra e agora outro com Mr. Wang – sumariou Ana. – O que perfaz um total de quatro...

– Já repararam numa coisa? – perguntou Maria, seguindo o raciocínio da irmã e fazendo contas de cabeça: – Quatro vizinhos vivem no mesmo prédio e todos eles têm um objecto valioso relacionado com leões! Um quadro famoso, uma colecção de selos, uma bíblia e uma estatueta chinesa...

– Pois é... – disse o primo. – Dois deles foram roubados. Esperemos que os outros não tenham o mesmo fim...

Caminhavam enquanto discutiam o caso, distraídos e sem destino definido. Entraram em *Lisle Street*, ainda em *China Town*, repleta de ervanários e supermercados especializados em produtos chineses.

– O que é isto? – perguntou Maria, perplexa, ao ver um fruto enorme, no meio de outros vegetais, expostos em frente de um supermercado.

O fruto era realmente muito estranho e diferente de tudo o que a rapariga vira até ali. Tinha o tamanho e o formato de uma bola de futebol em elipse. Porém, possuía saliências homogéneas à superfície, fazendo lembrar uma líchia verde em tamanho gigante.

– *Jackfruit* – leu o primo, olhando para o nome inglês inscrito na etiqueta, ao lado dos caracteres chineses. – Não faço ideia do que seja! É tão esquisito!

– Os brasileiros chamam-lhe jaca – disse Ana, relembrando qualquer coisa das suas leituras de Botânica, numa das inúmeras bibliotecas visitadas. – São os maiores frutos comestíveis que existem, mas nunca pensei que fossem tão grandes!

Os primos riram-se daquela extravagância da Natureza.

– E estes são de uma espécie parecida – continuou a rapariga, indicando uns frutos semelhantes, embora mais pequenos e de saliências mais pontiagudas do que as jacas. – Chamam-se *durian*... e têm um cheiro óptimo!

Passou o fruto ao primo, que se apressou a cheirá-lo, curioso.

– Arghhhh! Que coisa horrível! Cheira tão mal!

As primas desataram a rir às gargalhadas.

Ana explicou que alguns países proibiam de conservar *durians* em certos locais, precisamente devido ao cheiro nauseabundo que emitiam.

– E estes, tão giros?! – exclamou Maria, apontando para umas esferas pequenas e vermelhas, do tamanho de bolas de golfe, das quais brotavam espinhos flexíveis de pontas amareladas. – Aqui diz que se chamam *rambutan*...

Passaram alguns momentos a trocar piadas e a fazer comentários sobre frutos e vegetais exóticos chineses. Por fim, vendo que o supermercado tinha produtos desconhecidos suficientes para passar à categoria de atracção a visitar na capital londrina, resolveram entrar.

Para além daqueles frutos desconhecidos viram também outros, como *longans*, parecidos com batatinhas novas pequeninas,

líchias, couves chinesas, gengibre, mil e um tipos de *noodles*, a famosa massa chinesa, chá de jasmim, chá verde, algas, cogumelos estranhos que nunca tinham visto e outras raridades afins.

Quando saíram do supermercado, regressaram a *Charing Cross Road* com o intuito de caminhar em direcção a casa, para almoçarem. Tinham percorrido ainda poucos metros na rua com mais livrarias de Londres, quando viram um carro de bombeiros estacionado na curva da viela da *Bookfinder*, onde trabalhava Mrs. Sbarra.

– Que terá acontecido? – perguntou André. – Será algum incêndio?

– Não se vê fumo em lado nenhum… – constatou Maria, olhando para a linha acima das casas.

Mal acabou de proferir as suas palavras, viram dois carros da Polícia sair da viela e afastarem-se.

– Vamos ver! – exclamou Maria, começando a caminhar para lá. – Estou com um mau pressentimento…

– Bem, visto que esta história toda começou com um mau pressentimento teu, o melhor é irmos ver o que se passa. E depressa! – exclamou Ana, que não queria arrepender-se de não dar ouvidos à irmã mais uma vez.

Quando chegaram à porta da *Bookfinder,* viram Mrs. Sbarra, triste, sentada à secretária, quase imóvel, com a cabeça entre as mãos.

Os três jovens entraram na livraria, ainda vazia de clientes, e esperaram que a senhora erguesse a cabeça e lhes dissesse alguma coisa.

Lágrimas enormes rolavam-lhe dos olhos, esborratando-lhe a forte maquilhagem que usava. Os cabelos estavam agora despenteados e os olhos inchados, dando a impressão de estar a chorar há bastante tempo.

– Mrs. Sbarra! – exclamou Maria, dirigindo-se a ela. – Que aconteceu?

– *Una catastrofe! Una disgrazia*! – choramingava a senhora, assoando o nariz a um lenço de algodão que começava a assimilar os tons de azul da máscara esborratada. – Não compreendo como pôde acontecer!

– Mas o quê? – insistiu André, do outro lado da secretária. – O que foi que aconteceu?

– *È terribile*!... – continuava ela, interrompendo-se apenas para deixar escorrer as lágrimas e soltar mais uns soluços.

Maria pôs-lhe a mão no ombro e perguntou:

– Tem a ver com a sua bíblia, não é?

Os outros olharam-na, espantados.

Mrs. Sbarra deixou de chorar e levantou-se, com modos bruscos.

– Como é que sabes?! – perguntou, rígida como um pau.

– Não sei... Foi apenas um pressentimento – respondeu Maria, com honestidade. – O que aconteceu? Queimou-se no incêndio?

Mrs. Sbarra voltou a sentar-se e a pegar no lenço que entretanto atirara para cima da secretária. Parecia mais sossegada, quase satisfeita com a resposta da rapariga. As lágrimas, porém, regressaram aos seus olhos cansados ao fim de alguns segundos.

– Não, não se queimou... – sussurrou.

– Mas o incêndio... – murmurou Maria.

– Não houve incêndio nenhum – respondeu, com pouca energia.

– E o carro dos bombeiros? – perguntou Ana. – E a Polícia?

– Os bombeiros vieram por causa de um falso alarme... E a Polícia veio porque a chamei eu. A minha querida bíblia...

– Sim? – perguntou Maria, insistente.

– A minha querida bíblia... – repetiu a senhora, fungando estrondosamente.

– Mas afinal o que é que aconteceu à sua bíblia? – explodiu André, sem se conter.

– Foi... foi... foi roubada! – e voltou a cair num pranto infinito.

Os primos olharam uns para os outros, alarmados. Aquilo não era apenas mais uma coincidência. Agora, sim, não havia dúvidas de que a história envolvia leões por alguma razão específica.

V

O TESOURO DE MRS. SBARRA

Os primos tentaram acalmar Mrs. Sbarra, dando-lhe palmadinhas no ombro e dizendo-lhe que não se preocupasse, pois a bíblia havia de aparecer.

Na verdade, porém, nenhum deles tinha grande esperança de que tal acontecesse. Sabiam que eram raríssimos os casos em que o objecto roubado se conseguia resgatar, mas naquele momento não lhes vinha à mente mais nada para dizer à italiana que a pudesse tranquilizar.

Quando a senhora parou, finalmente, de soluçar, Ana perguntou-lhe, usando um tom amável:

– Diga-nos uma coisa, Mrs. Sbarra: quem é que sabia da existência da sua bíblia?

– Ninguém! – exclamou ela, decisiva, mas depois acabou por admitir: – Ou *quase* ninguém…

– Sabemos que tem muito orgulho no seu pequeno tesouro… – ajudou André. – Deve ter falado nele a várias pessoas. A Mrs. Lair, por exemplo?

A italiana moveu-se na cadeira, como se esta, de repente, se tivesse tornado extremamente desconfortável.

– Sim... talvez tenha mencionado a bíblia no jantar, antes de vocês chegarem – respondeu, com a expressão de quem se esforçava por recordar algo. – Não me lembro bem...

«Então não lho disse apenas a ela», pensou Maria e tentou evocar os vizinhos que já se encontravam no apartamento de Mrs. Hunt quando a sua família chegara ao jantar. Concluiu que faltavam apenas Miss Price e o misterioso Mr. Angeloupolos, o que perfazia um número demasiado grande de suspeitos. E não devia ficar por ali, atendendo à predilecção da senhora por um bom mexerico... Era natural que tivesse falado com outras pessoas, sem sequer dar conta.

André tinha acabado de seguir um raciocínio idêntico ao da prima, mas ao ouvir a resposta de Mrs. Sbarra, achou que aquela pista não os levaria muito longe e lembrou-se de outra possibilidade:

– Ninguém se ofereceu para lhe comprar a bíblia, ultimamente?

– Não, ninguém – assegurou Mrs. Sbarra, fungando. – Além do mais, eu nunca aceitaria vendê-la. Compreendem... Pertencia ao meu marido... É das poucas coisas que me restam dele. A própria Mrs. Lair ainda há pouco dizia...

– Mrs. Lair? – questionou Maria, de repente, sem perceber a que circunstância se referia a italiana. – Há pouco, quando?

Mrs. Sbarra aclarou a voz, voltou a mexer-se na cadeira e por fim explicou-se, ainda pouco à vontade:

– Passou por aqui pouco depois de vocês terem saído – revelou. – Disse que tinha vindo às compras para estes lados e, como passou aqui perto, resolveu entrar para me cumprimentar.

Os primos acharam a coincidência um pouco estranha e resolveram aprofundar:

– Por acaso... Mostrou-lhe a bíblia, como nos mostrou a nós hoje de manhã? – perguntou Ana.

A italiana, porém, apercebendo-se da linha de pensamento da rapariga, apressou-se a defender a vizinha.

– Claro que não! A que propósito é que eu faria uma coisa semelhante?

«Com o mesmo propósito que no-la mostrou a nós sem que lho tivéssemos pedido», pensou Ana, com os seus botões, conseguindo disfarçar, em milésimos de segundo, a expressão de embasbacamento que a frase de Mrs. Sbarra provocara no seu rosto.

A senhora, contudo, apercebeu-se da ironia nos olhos da rapariga e decidiu esclarecer melhor o assunto:

– Não foi para isso que ela aqui veio – disse, séria e determinada, fixando Ana de frente. – Mrs. Lair só entrou na livraria hoje de manhã para trocar um pouco de *pettegolezzi* comigo.

Os primos franziram a testa, sem perceberem a palavra.

– *Gossip*! *Capite*?

«Ah, sim! Claro!», pensaram os jovens, ao ouvir a tradução inglesa da palavra italiana. «Mexericos! Que outra coisa podiam aquelas duas trocar entre si?»

Mrs. Sbarra detectou o olhar de crítica mal dissimulada dos três e prosseguiu:

– Fiquem sabendo que me fez muita companhia! E ela não tem nada a ver com o roubo, se é nisso que estão a pensar – justificou ao constatar a desconfiança de Ana. – Esteve o tempo todo comigo, nunca me deixou sozinha! Nem mesmo quando tivemos de sair para a rua, por causa do tal alarme falso.

André aproveitou a referência ao alarme para colocar mais uma questão:

– E a loja ficou vazia nessa altura?

– Sim, ficou. Não entrou mais ninguém depois de Mrs. Lair. Estávamos sozinhas.

– Tem a certeza? – insistiu ele.

A senhora acenou positivamente.

– Absoluta?

– Claro que tenho – teimou ela, sem reticências.

– E estiveram sempre na sala de cima?

– Sim, estivemos. Nunca descemos à cave.

André esperou dois ou três segundos e por fim concluiu:

– Então não poderia ter entrado ninguém sem que tivessem visto... – murmurou, confuso.

Desta vez, Mrs. Sbarra levou mais tempo a responder. Antes de o fazer, juntou as palmas das mãos, encostou os indicadores aos lábios e apoiou os polegares debaixo do queixo, com ar pensativo.

– Não, teria sido impossível. A não ser quando... – disse, interrompendo-se.

André teve a sensação de que Mrs. Sbarra estava para lhes comunicar um indício essencial na história da bíblia roubada.

– A não ser quando... – repetiu ele, esperando assim ajudar a senhora a recordar-se melhor.

– Bem, agora que penso nisso... – disse ela, de olhos semicerrados. – Houve um momento em que me distraí... Tive de subir ao escadote para mostrar um livro a Mrs. Lair, *capite*? Encontrava-se na última prateleira da estante à direita e assim fiquei de costas voltadas para a porta durante vários instantes.

Os olhos de André iluminaram-se.

– O que significa que, se um indivíduo tivesse entrado nessa altura, a senhora não o teria visto.

– Eu não... – anuiu Mrs. Sbarra. – Mas Mrs. Lair, com certeza que sim.

Ana resolveu intervir com uma conjectura importante:

– A não ser que também ela estivesse de costas, atenta ao que a senhora estava a fazer no topo do escadote – lembrou. – E o som do espanta-espíritos podia ter sido abafado por algum ruído vindo do exterior.

– Sim... Talvez tenhas razão – concordou Mrs. Sbarra. – Mrs. Lair é uma pessoa muito atenciosa, é provável que estivesse mais atenta ao que eu estava a fazer do que à porta e às pessoas que poderiam entrar. Por acaso, agora até me estou a lembrar que se mostrou bastante preocupada ao ver-me subir tão alto, no escadote, com a minha idade.

Interrompeu o que estava a dizer, voltando a mexer-se, desconfortável, na cadeira. A última frase, de algum modo, não lhe soara bem. Resolveu esclarecer o assunto.

– Uhmm... Tenho a certeza de que não me estava a chamar velha... Até porque deve ter precisamente a minha idade! É uma senhora muito simpática... É óbvio que não era essa a sua intenção...

– E a Polícia? – perguntou Ana, interrompendo-a antes que os elogios à amiga a conduzissem por uma estrada sem regresso. – O que disse do roubo?

Mrs. Sbarra compreendeu a mudança de tema e respondeu, com uma certa desilusão na voz:

– O que é que havia de dizer? Acharam muito estranho que eu tivesse um objecto tão valioso guardado aqui dentro. Disseram que o devia ter colocado num cofre, no banco. Depois fizeram imensas perguntas...

– Perguntas? Que perguntas?

– Quiseram saber se a bíblia tinha seguro e se existiam fotografias...

– E existem?

A senhora desatou outra vez a chorar, desconsolada. Aquela era uma questão que lhe causava uma dor terrível.

– Nãooooo! Nem uma! – soluçou. – E nunca fizemos seguro porque não era suposto saber-se que a tínhamos. O meu marido fez sempre muito segredo em relação à bíblia. Eu, a princípio, achava estranho. Mais tarde, contudo, percebi que o fazia para nosso bem. Se os credores tivessem sabido que a bíblia existia, teríamos sido obrigados a incluí-la na lista de bens a confiscar para pagar as nossas dívidas.

– Uhmm… – murmurou Maria, achando que havia algo de incongruente na história. – Então e agora já não é preciso guardar segredo?

Mrs. Sbarra olhou-a com curiosidade e pensou que a rapariga não era nenhuma mentecapta. Respondeu com tranquilidade, esforçando-se por mostrar que não tinha nada a esconder:

– Desde então passaram tantos anos que deixou de fazer diferença esconder a existência da bíblia. Foi por isso que não tive problemas em chamar a Polícia.

Maria anuiu. A resposta fazia sentido.

– Disseram-lhe quem chamou os bombeiros?

– Sim – respondeu Mrs. Sbarra, com um risinho irónico. – Disseram que fui eu, ou melhor, uma senhora que se identificou como sendo eu própria.

– Típico… – comentou André.

Maria franziu a testa. «Para imitar a voz de Mrs. Sbarra teriam de ter simulado também o seu forte sotaque italiano. Será que o fizeram?», reflectiu. Talvez pudessem investigar aquele pormenor com mais atenção, assim que saíssem.

– O que disseram em relação às esperanças de a reaver? – perguntou.

– Que grandes esperanças é que hão-de ter? – disse Mrs. Sbarra, decepcionada. – Há demasiados roubos nesta cidade e a Polícia não pode apanhar todos os ladrões.

– Sim, é verdade – concordou o rapaz. – Mas hoje em dia há imensas formas de conseguir chegar aos criminosos. Usam-se câmaras, por exemplo... A livraria não tinha circuito fechado de vídeo?

A italiana levantou-se, agora mais calma e com ar de quem já tinha chorado o suficiente. Era uma mulher de grande força e a experiência tinha-lhe ensinado a não desperdiçar demasiado tempo carpindo amarguras que não a ajudavam a olhar de frente para os problemas da vida.

– Quantos clientes é que viste por aqui hoje? – perguntou, fixando André com ar trocista por cima dos óculos.

– Bem... Nenhum...

– Pois. Nenhum... – repetiu ela. – Temos poucos e os que aqui vêm são nossos clientes há muitos anos. Conheço-os quase todos. Muitos preferem fazer as encomendas por telefone. Não são precisas câmaras aqui dentro.

André acenou, fingindo compreender. No entanto, a verdade é que os factos provavam precisamente o contrário. Se tivesse havido câmaras de circuito fechado na livraria, agora não teriam problemas em saber quem tinha roubado a bíblia, o livro mais valioso de todos os que se encontravam ali dentro.

– Havia sinais de arrombamento? – perguntou Maria. – Roubaram mais livros ou outras coisas de valor?

– Não – disse Mrs. Sbarra, respondendo a ambas as perguntas. – O ladrão entrou sem que eu desse conta e sabia exactamente o que procurava. Sabia também como consegui-lo. Tenho a certeza de que roubou a bíblia debaixo do meu nariz...

Os primos consideraram a hipótese e admitiram que fazia sentido. Se não havia sinais de arrombamento, era porque o ladrão conhecia bem o meio em que se movia.

– Trabalha aqui mais alguém, para além de si? – inquiriu Ana.

– Não, apenas eu própria – respondeu Mrs. Sbarra e, após uma curta pausa, continuou: – A Polícia também deve pensar que o ladrão estava muito bem informado, porque me perguntou se tinha inimigos…

– E tem? – quis saber Maria.

– Absolutamente, não! Que disparate! – retorquiu a senhora, colocando os indicadores nas têmporas. – Uhmm! Que dores de cabeça que tudo isto me está a provocar…

– Porque não toma uma aspirina? – sugeriu Maria. – Vai sentir-se melhor, com certeza. Nós vamos andando… Vemo-nos logo à noite, no concerto, se estiver com disposição, está bem?

Vendo que pouco mais podiam fazer, os primos despediram-se de Mrs. Sbarra, desejaram-lhe uma tarde tranquila e saíram da livraria.

Desceram *Charing Cross Road* devagar, enquanto discutiam os pormenores e circunstâncias do caso que parecia tornar-se cada vez mais bicudo.

– Parece que falaste cedo demais… – disse Ana a André, ao passarem em frente ao *Garrick Theatre*. – Afinal sempre roubaram outro objecto valioso relacionado com leões.

– Pois foi – disse ele. – Já são três e pertencem todos a pessoas que vivem no número 10 de *Craven Street*. Agora só faltava roubarem a estatueta de Wang…

– Duvido que o façam… – comentou Maria. – A julgar pela forma como o outro chinês lha atirou à cara, aquela não deve ter grande valor .

– *Aquela*, não – concordou André. – Mas tenho a certeza de que Wang possui uma estatueta valiosa. Senão para que é que o outro lhe teria pago todo aquele dinheiro?

– Tens razão… – concedeu a prima, voltando atrás. – Se calhar, também se tratava de uma cópia falsa, como o quadro de Mrs. Hunt.

– É verdade, por falar nisso – disse a irmã – ficámos de investigar se o quadro sempre tinha sido alvo de um roubo no passado, como disse Mr. Bliss. Podemos verificar na Internet quando chegarmos a casa.

* * *

Almoçaram rapidamente e ligaram o computador enquanto comiam uma maçã cada um.

– *An apple a day*... – disse André, ao engolir um pedaço de uma *Granny Smith* bem verdinha.

– Sim?... – desafiou-o Maria. – Aposto que não sabes como acaba...

– Claro que sei! – ripostou o primo, peremptório.

Mas o certo é que não sabia como terminava o famosíssimo ditado inglês. Longe de se dar por vencido, André pensou durante alguns segundos e então, com um sorriso matreiro nos lábios, respondeu:

– *An apple a day, makes your teeth white, not grey*!

Ana e Maria desataram a rir às gargalhadas.

– Que disparate! – riu Maria. – *Uma maçã por dia faz os dentes brancos e não cinzentos*?! Isso não tem sentido nenhum!

– Então como é? – perguntou o primo, envergonhado.

– *An apple a day keeps the doctor away!* – corrigiram em coro, divertidas.

Não havia nada a fazer. André raramente acertava nos ditados, fosse em que língua fosse.

– Ouçam lá – disse ele, mudando de assunto. – Estava aqui a pensar naquela história da bíblia roubada e...

– Sim? – perguntou Ana.

– Mrs. Sbarra tem razão: o autor do roubo conhecia não só a bíblia, mas também o esconderijo e até a chave para abrir a caixa. Não havia sinais de arrombamento, não levaram mais nada e fizeram-no de dia, debaixo do seu nariz.

Ana envolveu o caroço da maçã que tinha acabado de comer num guardanapo de papel e comentou:

– Realmente, é verdade. Podiam ter arrombado a loja de noite, quando não havia ninguém por perto...

– *Ninguém*, é como quem diz – interrompeu a irmã. – Esta zona de Londres tem sempre gente, seja a que horas for.

– Sim, mas aquela é uma rua que quase só tem livrarias. Ninguém passa por ali durante a noite...

– Se o ladrão não soubesse como chegar à bíblia, ter-lhe-ia sido mais fácil assaltar a livraria durante a noite. Assim teria todo o tempo que quisesse. À luz do dia sempre podia entrar alguém, ainda que houvesse poucos clientes. Era um risco muito elevado... – explicou André.

– O problema é que para assaltá-la de noite era preciso arrombar a porta... argumentou Ana. – E esse também era um risco elevado.

– Pois é precisamente aí que eu quero chegar! – exclamou o primo. – Para evitar o risco de ser apanhado a arrombar a porta de noite, o melhor seria entrar durante o dia, quando a porta já estava aberta. Bastava para isso apanhar Mrs. Sbarra distraída e... saber exactamente o que procurava e onde tal se encontrava.

– Pois... – concordou Ana. – Para isso, o falso alarme de incêndio vinha mesmo a calhar.

– Foi perfeito... – assentiu o primo.

Os jovens permaneceram em silêncio durante alguns momentos, pensativos. Maria, entretanto, tinha já o computador pronto e ligado à Internet, mas antes de iniciar as pesquisas sobre o quadro de Mrs. Hunt, lembrou-se de outro facto interessante que ainda não tinham discutido.

– Não acharam estranha a coincidência de Mrs. Lair se encontrar dentro da livraria exactamente quando se deu o roubo?

– Bem... sim... – disse Ana. – É, de facto, espantoso que se encontrasse ali precisamente naquele intervalo de tempo! Sabemos que a bíblia estava guardada no esconderijo pouco antes de Mrs. Lair chegar à livraria. Vimo-la na caixa com os nossos próprios olhos. Não deve ter passado mais do que hora e meia desde essa altura até à chegada dos bombeiros.

– Será que Mrs. Lair está envolvida no caso? – perguntou Maria, de repente. – Ou será verdade que passou ali apenas por acaso e decidiu entrar para cumprimentar Mrs. Sbarra?

– Uhmm... – murmurou a irmã, desconfiada. – Deve haver outra razão para a sua presença na livraria naquele momento. Não acredito que seja pura coincidência.

– Mas não pode ter sido ela a roubar a bíblia – disse Maria. – Mrs. Sbarra afirmou que estiveram sempre juntas!

– Uhmm... É verdade... E se tiver sido a própria Mrs. Sbarra? – lembrou André, pensando noutra teoria. – Achei muito estranho que ela nos mostrasse a bíblia sem que lho tivéssemos pedido. Se calhar a intenção dela era arranjar forma de provar que a bíblia tinha sido roubada naquele espaço de tempo, quando na verdade foi ela que a escondeu noutro sítio qualquer, logo a seguir a ter-no-la mostrado!

– Tens muita imaginação! – disse Ana. – Mas não faz sentido... Que vantagem teria ela em fazer uma coisa desse género? Não tinha nada a ganhar com isso! Lembra-te de que nem sequer possuía seguro da bíblia, ao contrário de Mrs. Hunt.

– A propósito – disse Maria, recordando um pormenor e pegando no telefone. – Vou tirar uma dúvida a limpo!

– A quem é que vais telefonar? – perguntou a irmã.

Maria, todavia, não lhe respondeu, pois estava já em ligação com alguém do outro lado da linha.

– Departamento de Bombeiros de *Charing Cross*? Sim? Aqui fala *Sergeant* Torres, da *Scotland Yard* – disse, imitando uma voz adulta. – Sim, sim, os meus colegas estiveram aí esta manhã, mas esqueceram-se de vos perguntar o seguinte: A senhora que vos telefonou a dar o falso alarme era... inglesa ou estrangeira? Ah, sim... Tem a certeza? Obrigada. *Have a nice day, too.*

Desligou e olhou para um ponto imaginário, distraída.

– Então? – perguntaram Ana e André, curiosos. – Era estrangeira ou inglesa?

– Inglesa... – respondeu Maria. – O que significa que não pode ter sido a própria Mrs. Sbarra a dar o falso alarme. Ela seria incapaz de falar inglês sem aquela pronúncia italiana tão forte.

Outro momento de silêncio. Mais uma vez, aquelas conjecturas não estavam a levá-los a lado nenhum. Se não tinha sido Mrs. Lair nem Mrs. Sbarra a roubar a bíblia, alguém devia ter entrado na livraria enquanto as duas estavam distraídas, mas quem?

– Bem – disse Maria – vamos mas é ver se o quadro de Mrs. Hunt sempre esteve envolvido num roubo há uns tempos atrás, ou não.

A pesquisa na Internet foi rápida, mas pouco conclusiva. Em poucos minutos tinham descoberto que Mr. Bliss não se enganara. O estudo do quadro de *S. Jerónimo e o Leão*, da provável autoria de Francesco Pesellino tinha, de facto, sido alvo de um roubo muitos anos antes. A notícia, porém, era de 1943 e não explicava quase nada sobre o acontecimento. Dizia apenas que o quadro pertencia a um tal Mr. Lion, mas não esclarecia se tinham conseguido recuperá-lo, nem fazia referência ao facto de o ladrão ter sido apanhado, ou não.

Foi André quem reparou em dois pormenores importantes da notícia:

– Esperem lá... 1943?! Esse é o ano do panfleto e da estreia da peça *As Dez Figuras Negras*, de Agatha Christie!

– Pois é! – exclamou Ana. – Já nem me lembrava disso!

– E reparem na outra coincidência – disse ele, excitado. – O quadro pertencia a um tal Mr. Lion, ou seja, um *leão*!

As duas irmãs olharam-no de olhos esbugalhados. Aquilo sim, era sem dúvida algo importante! Mas o que significaria?

Maria apontou o pormenor no seu livrinho de notas.

– Não há dúvida – riu Ana. – O André tornou-se mesmo num adorador de leões! Não deixa escapar um!

A irmã, entretanto, lembrou-se de outra particularidade relevante naquela história.

– Ouçam lá... Que idade é que vocês acham que o Mr. Bliss terá?

– Não deve ter mais do que uns trinta e cinco anos, julgo eu... – respondeu Ana.

O primo concordou com um aceno rápido e uma interrogação no olhar. Onde é que a prima queria chegar com aquilo?

– Então se ele só tem trinta e cinco anos... como é que se podia recordar da notícia do roubo do quadro, se em 1943 ainda nem sequer tinha nascido?

– Boa, priminha! – exclamou André. – Mais um mistério para a nossa lista...

– Ele é jornalista – recordou Ana. – Talvez tenha lido algum velho artigo sobre o roubo. Quando referiu o acontecimento durante o jantar, pareceu-me que se lembrava dele vagamente, apenas.

Os outros não pareciam muito convencidos com a explicação.

André atirou-se para o sofá e esticou os braços, espreguiçando-se.

– Então e o convite de Mrs. Hunt para o concerto desta noite? – inquiriu. – O que é que acham dele?

– Sei lá... – respondeu Maria, atirando-lhe com uma almofada, por brincadeira. – Não me parece que tenha nenhum significado importante... Ela deve ter visto o concerto anunciado quando passou ali perto e lembrou-se de organizar mais um evento social para os vizinhos. Só quis ser simpática.

André bocejou, ligeiramente aborrecido. «Que história mais complicada! Parece-me que este vai ser um caso impossível de resolver...», pensou, mas preferiu não dizer nada às primas. Não queria dar a entender que desta vez era ele o pessimista.

Decidiu então levantar-se e ler algumas notícias de jornais na Internet.

Maria trocou de lugar com ele e instalou-se no sofá, esticando as pernas sobre as almofadas vermelhas.

Ficaram em silêncio durante alguns minutos, perdidos nos seus próprios pensamentos até que André disse:

– Com estas pistas todas sobre leões, bem podia haver uma relacionada com o leão mais importante de todos, para investigarmos...

– Qual leão? – perguntaram as irmãs ao mesmo tempo.

Maria levantou a cabeça da almofada, curiosa.

– O leão do *Chelsea Football Club*! – exclamou o primo. – O clube foi fundado em 1905 e também tem um leão no brasão! É o clube do treinador português, o Mourinho!

Ana e Maria acenaram em sinal de reconhecimento. Viam o treinador mais famoso de Inglaterra em anúncios na televisão e em cartazes na rua, a toda a hora.

– Podíamos ir ver um jogo deles… – disse André. – Quem sabe se descobrimos alguma coisa sobre o caso?

Maria desatou a rir e a irmã juntou-se-lhe, divertida.

– É claro que o *Chelsea FC* não tem nada a ver com o nosso caso – disse. – Não é preciso inventares essa desculpa só porque queres ir ver um jogo deles!

André corou, mas não desistiu:

– Aqui diz que vão jogar contra o *Arsenal* daqui a uns dias… Acham que os vossos pais vão na fita e nos compram bilhetes?

– Até te digo mais – disse Maria. – O pai até é bem capaz de querer ir connosco ao jogo! E se calhar até arranja bilhetes mais facilmente através da embaixada!

* * *

Passou-se meia hora, durante a qual André viu as notícias na Internet e Ana e Maria leram um par de capítulos dos livros que andavam a ler.

Ao chegar à última página do seu livro de aventuras de Sherlock Holmes, Maria levantou-se do sofá e sugeriu:

– E se fôssemos às compras a *Knightsbridge*?

– Boa! – exclamou Ana. – Podíamos ir ao *Harrods* e depois a *King's Road*!

– Esperem lá! Vocês querem ir mesmo ao *Harrods* fazer compras? Não podemos ir a outro sítio qualquer, como *Oxford Street*? Os meus pais não me deram assim tanto dinheiro para gastar... E eu ainda quero comprar uma *T-shirt* do *Chelsea FC*...

– Não podes ir embora sem passares pelo *Harrods*! – exclamou Maria. – É uma espécie de instituição aqui em Londres! Mesmo que não compres nada, tens de ver, pelo menos, o Átrio Egípcio e o da comida. Aposto que nunca viste nada do género!

– Podemos ir a pé até lá e depois regressamos no autocarro número 9 – sugeriu Ana, entusiasmada.

André não conseguiu demover as primas. Daquela forma, as semanadas que os pais lhe tinham dado iam desaparecer rapidamente. Sobretudo se encontrasse os seus ténis preferidos nalguma montra, ou visse as calças de ganga que andava para comprar há uns tempos.

Saíram de casa e caminharam até ao fundo de *Craven Street*, na direcção sul. André, porém, decidiu voltar um pouco atrás e atravessar a *Northumberland Avenue*.

– Vou mostrar-vos onde era a *Scotland Yard*! – exclamou. – Estive a ler umas coisas na Internet e descobri que vocês vivem mesmo ao lado do edifício original.

A meio da *Northumberland Avenue*, viraram à esquerda e meteram por uma pequena rua transversal, a *Great Scotland Yard*, que em 1829 dera o nome à primeira sede da famosa Polícia londrina, também conhecida por *Yard*, ou *Metropolitan Police Service*.

– Esteve aqui até 1860 – explicou André, indicando o antigo edifício. – Depois transferiu-se para *Victoria Embankment*, em frente ao Rio Tamisa, até 1967. Nessa altura, mudou-se definitivamente para o edifício actual, em *Victoria*.

– Incrível! – exclamou Maria, fascinada. – Não sabia que tivesse sido aqui, tão pertinho de casa!

– Porque não passamos pela sede actual? – perguntou a irmã. – Fica apenas a dez minutos daqui!

Resolveram então virar novamente à esquerda no fim da *Great Scotland Yard* e seguir depois pela *Whitehall*, dando uma olhadela a *Downing Street*, à direita, até chegarem a *Parliament Square*.

Minutos mais tarde, entravam em *Victoria Street*, a meio da qual viram o famoso edifício que ocupava todo um quarteirão e cuja entrada se fazia pelo número 10 da *Broadway*.

– Lá está o símbolo que se vê em tantas séries de televisão e filmes famosos! – exclamou Maria.

Estavam distraídos a olhar para o rectângulo rotativo onde se lia *New Scotland Yard*, quando André reparou num grupo de polícias que acabava de sair do edifício. Ao reconhecer uma das caras, agarrou no mapa que Ana tinha na mão e colocou-o à sua frente, bem aberto, para que os escondesse de forma subtil.

– Para que é isso? – perguntou Maria, que de repente viu substituir o panorama à sua frente por um aglomerado de ruas desenhadas em papel.

– Chhhh! – fez André, baixando devagar o jornal. – Estão a ver aquele polícia?

Ana e Maria olharam ao mesmo tempo para a pessoa que o primo indicava.

– É Mr. Bliss! – exclamaram em uníssono.

– É ele mesmo! – disse o rapaz, contente com a sua perspicácia.

O homem acompanhava outros três polícias e todos riam com algo que um deles dissera. Depois cumprimentaram um quinto indivíduo, que se aproximou, preparando-se para entrar na *New Scotland Yard*.

– O que é que ele está aqui a fazer vestido de polícia? – perguntou Maria, confusa.

– Bem, acho que acabámos de descobrir que afinal não é jornalista... – disse Ana, mordendo o lábio inferior. – E aquele outro polícia, à direita dele... Não sei porquê, mas a cara dele não me é estranha...

André e Maria encolheram os ombros. Não o reconheciam.

Esperaram alguns instantes até verem o grupo de homens entrar em dois carros da Polícia que acabavam de sair do parque. Depois viram-nos afastar-se, sem que Mr. Bliss desse conta que estavam ali.

– Se é polícia – disse Maria – porque é que havia de mentir no jantar, dizendo que era jornalista?

– Agora que penso nisso – recordou Ana – ele realmente fez as mesmas perguntas que um polícia faria, quando se descobriu que a colecção de selos de Mrs. Lair tinha sido roubada...

– É verdade! – concordou o primo. – E antes disso ainda, lembro-me que ficou muito nervoso quando a Miss Merle se ofereceu para telefonar à esquadra de *Charing Cross*, ao descobrirem que o quadro de Mrs. Hunt era uma cópia. Como se tivesse algo a esconder...

– Mas porquê mentir? – insistiu Maria. – Bastava dizer: «Não se preocupem! Sou da Polícia» e resolvia-se tudo...

– Talvez o tenha feito para não alarmar Mrs. Hunt, que obviamente não queria envolver a Polícia no caso, e uma vez que teve a amabilidade de o convidar... – propôs André.

– Mas quando ele disse que era jornalista, ainda não se tinha falado na Polícia! – teimou Maria. – Ele mentiu de propósito. Mas porquê?

– Quem sabe se ele não estava a fazer algum trabalho camuflado e não quis, ou não pôde, revelar a sua verdadeira identidade? – sugeriu André.

– Uhmm... – murmurou a prima, desconfiada. – Aqui há gato...

– Gato, talvez não... – segredou o primo. – Mas *leão*...

VI

O VAGABUNDO DE ST. MARTIN'S

O roubo da bíblia de Mrs. Sbarra e o facto de terem descoberto a verdadeira profissão de Mr. Bliss, depois de ele ter mentido a todos os vizinhos sem razões conhecidas, deram aos primos novos motivos para prosseguirem com a investigação do caso.

– Isto é tudo tão complicado… – disse Ana, enquanto atravessavam *Victoria Station*. – Há demasiados suspeitos, demasiadas dúvidas e este caso tem demasiadas vertentes.

– E se fizéssemos um apanhado de tudo o que sabemos? – propôs o primo. – Podemos sentar-nos um bocadinho neste parque? Que tal?

As primas concordaram. Encontraram um lugar resguardado do vento e sentaram-se nos *Grosvenor Gardens*, perto de *Victoria Station*.

– Ora bem… – começou Maria, pegando no seu livrinho de notas e abrindo-o na página em que se encontrava a tabela sobre os inquilinos de *Craven Street*. – Temos dez vizinhos que aparentemente não têm nada em comum uns com os outros a não ser habitarem todos no mesmo prédio… E possuírem objectos relacionados com leões.

– Rectificação! – contestou André. – Só quatro desses dez vizinhos têm objectos relacionados com leões…

– Quatro em dez, dá uma percentagem de quarenta por cento, o que já é bastante elevado. Além disso, eu tenho um pressentimento que me diz que a história dos leões ainda não fica por aqui. Aposto que há mais vizinhos com *objectos-leão*… – disse Maria, acabando de inventar um novo nome para os objectos e actualizando a última coluna da tabela. – Como diz a Ana, há sempre uma justificação para as coincidências. E também tenho a certeza de que vai haver mais roubos.

– Pensas mesmo que sim? – perguntou a irmã. – Se tiveres razão, será que podemos fazer algo para os evitar?

– Ouçam lá! – voltou a interromper o primo, pegando no livro de Maria e tirando uma caneta da mochila. – Estamos a incorrer no perigo de antecipar os acontecimentos com deduções que podem estar completamente erradas. Na minha opinião, devemos cingir-nos aos factos. E os factos são estes:

1. Encontrámos um quadro partido na casa que Mrs. Hunt vos alugou, dentro do qual alguém escondeu um panfleto e uma carta com uma cantilena estranha.
2. A cantilena da carta parece indecifrável, mas menciona um leão.
3. O panfleto, de 1943, está relacionado com uma peça de teatro de Agatha Christie chamada *As Dez Figuras Negras*.
4. Mrs. Hunt, a vossa senhoria, convidou todos os vizinhos (dez) para um jantar em que era suposto conhecerem-se melhor. Nessa noite descobriu-se que tinha havido dois roubos dos tais *objectos-leão*: o quadro de Mrs. Hunt e a colecção de selos dos Lair;
5. Facto muito estranho a assinalar: nenhuma das vítimas quis chamar a Polícia;

6. No dia seguinte, ou seja, hoje, descobrimos que outros dois inquilinos possuíam também *objectos-leão* (Mrs. Sbarra tinha uma bíblia e Mr. Wang uma estatueta chinesa). A bíblia foi roubada nas barbas da italiana, cerca de uma hora depois de nós a termos visto no esconderijo da livraria onde estava guardada. A estatueta de Wang foi alvo de um episódio estranho, pouco antes do roubo da bíblia, mas, ao que sabemos, não foi roubada.
7. Facto a assinalar: ao contrário de Mrs. Hunt e do casal Lair, Mrs. Sbarra não teve problemas em chamar a Polícia.
8. Ficámos também a saber que um dos vizinhos mentiu em relação à sua verdadeira profissão: Mr. Bliss não é jornalista, mas polícia da *Scotland Yard*.
9. Finalmente descobrimos também que o quadro de Mrs. Hunt tinha sido alvo de um roubo em 1943 e que pertencera a um tal Mr. Lion.

– Podemos enunciar várias coincidências – acrescentou Maria, recuperando o livrinho de notas e juntando os seus próprios apontamentos aos que o primo acabara de escrever:

a. o número dez (dez vizinhos, dez figuras negras ...);
b. os leões (leão referido na carta, *objectos-leão*, o tal Mr. Lion, ...)
c. o ano de 1943 (ano da peça mencionada no panfleto, ano do roubo do quadro de Mr. Lion, que hoje pertence a Mrs. Hunt);

– Parece-me óbvio que existe uma relação entre a carta e os objectos – concluiu André.

– Estou de acordo! – disse a prima.

– Sim? – disse Ana, que se mantivera em silêncio até ali. – E que relação é essa? *Leões*?! Vocês fizeram um excelente resumo, mas… e agora? Tudo isto começou quando encontrámos a carta e o panfleto escondidos no quadro, mas a verdade é que, até agora, ainda não descobrimos nada que nos leve a crer que estejam de alguma forma relacionados com o caso dos roubos, como vocês defendem.

Maria e André não sabiam como contra-argumentar. Ana tinha razão. Para além dos leões, não havia praticamente mais nenhuma relação.

– O problema deste caso é exactamente o que vos disse antes: demasiados suspeitos, demasiadas dúvidas, demasiadas vertentes… Por exemplo: será que o número dez tem assim tanta importância? Se for esse o caso, já repararam que o nosso prédio é precisamente o número 10 de *Craven Street*? Será mais uma coincidência a explicar, ou apenas uma casualidade irrelevante? Será que a carta e o panfleto têm alguma coisa a ver com os nossos vizinhos? E o que é que os nossos vizinhos têm a ver uns com os outros? E o que é que os leões têm a ver com tudo isto?

Os outros olharam-na, perplexos e sem respostas. André, que não gostava de desistir e tinha imaginação fértil e bastante para inventar teorias como quem faz uma sopa de pedra, concentrou-se e disse:

– Uhmm… Já sei! Os nossos vizinhos fazem parte de um bando de contrabandistas que lida com objectos de arte. E o número 10 de *Craven Street* é o centro das operações deles!

As irmãs observaram-no, com ar duvidoso.

– Estás a falar a sério, ou essa é mesmo a tua teoria? – perguntou Maria, de testa enrugada.

– Eh… – tartamudeou André. – Soa um bocado forçada, não soa?

Ana e Maria responderam-lhe com uma careta que dispensava palavras.

– Impossível… – concluiu Ana, desmotivada. – Não conseguimos encontrar uma resposta plausível para tudo isto.

É demasiado complicado! Tudo parece estar relacionado e ao mesmo tempo… nada parece ter a ver com nada!

A atmosfera começava a tornar-se um pouco negativa e desmoralizante para os três. André achou por bem colmatar a conversa com algo que, tinha a certeza, funcionaria às mil maravilhas.

– *Shopping*? – perguntou, com ar matreiro.

As irmãs olharam-no, subitamente interessadas.

– Conheces-nos tão bem… – riu Maria.

– Vamos primeiro ao *Harrods* ou a *King's Road*? – disse Ana, com um enorme sorriso estampado no rosto.

André resolveu tentar a sorte:

– Não podíamos ir apenas ao *Harrods*? Temos ali lojas que cheguem, não temos? E assim, já que vamos para esses lados, visitávamos o museu de História Natural… Ainda por cima a entrada é grátis, tal como na maior parte dos museus em Londres!

Ao contrário do que esperava, as irmãs acederam de imediato.

– Boa! – exclamou Ana. – Ouvi dizer que tem coisas incríveis! Lembram-se das discussões sobre *a Teoria da Evolução de Darwin*, que o Orlando nos explicou quando resolvemos O *Caso do Último Dinossauro*? Pois bem, parece que no museu existe uma ala inteira dedicada a Darwin!

* * *

Passaram o resto do dia entre o enorme e famosíssimo estabelecimento comercial londrino e o ainda mais extenso e não menos conhecido *Natural History Museum*.

No *Harrods*, não conseguiram ver todos os andares que havia para ver, mas ainda assim compraram os últimos modelos de camisolas, calças de ganga e botas que desejavam. Viram também o *Egyptian Hall* e a fantástica secção dedicada à alimentação, com caviar e outros produtos raros e extremamente dispendiosos.

No *Natural History Museum*, aberto desde 1881, viram dinossauros gigantescos, como o *Diplodocus*, que celebrava cem anos de presença no museu; fósseis de répteis marinhos inacreditáveis; baleias, girafas, *kudus* e outros mamíferos embalsamados; peixes e pássaros exóticos com formas, cores e particularidades por vezes muito cómicas, como o famoso e extinto *dodó*; insectos colossais e assustadores; crocodilos, cobras, lagartos e outros répteis estranhos; o segmento de uma sequóia gigante que, quando foi cortada, tinha mil e trezentos anos, e ainda uma infinidade de minerais e pedras preciosas.

Tal como Ana previra, a parte que mais os impressionou foi o *Darwin Centre*, onde vislumbraram parte dos vinte e dois milhões de espécimes recolhidos por cientistas durante vários séculos. O facto de os espécimes estarem guardados em frascos transparentes com álcool, e de muitos deles terem um aspecto verdadeiramente terrificante e diverso de tudo o que tinham visto até ali, fez os primos sentirem-se como se tivessem acabado de sair de um filme de terror antigo.

* * *

Estafados mas muito contentes com as visitas turísticas do dia, caminharam até *Knightsbridge* e apanharam o autocarro número 9 até *Trafalgar Square*.

Porém, antes de regressarem a casa, Maria lembrou-se de passar pela livraria mais próxima para comprar o tão discutido livro de Agatha Christie, *And Then There Were None*.

– Quem sabe? – disse, com ar esperançoso. – Talvez contenha a chave de todos estes mistérios!

– Sim, sim… – respondeu Ana, duvidosa.

* * *

Nessa noite jantaram cedo e ainda tiveram tempo para descansar um pouco antes do concerto de Bach, na igreja de St. Martin's, às sete e meia.

Às sete e um quarto, a família Torres, juntamente com André, estava pronta para sair de casa. Chamaram o elevador e desceram.

No *hall* do prédio, encontraram Mr. Lair à espera da esposa que ainda não tinha descido. Tinha um ar cansado e inquieto, como se há muito não pregasse olho.

– Como está, Mr. Lair? – cumprimentou o embaixador, cordial, assim que saiu do ascensor.

– *I beg your pardon*? – perguntou o homem, voltando-se, confuso, sem o reconhecer.

Levou a mão à orelha, como se não tivesse ouvido a pergunta e só então percebeu de quem se tratava.

– Oh, sim! Claro! Sr. Embaixador, como está?

Nesse preciso momento, Mrs. Lair apareceu, vinda das escadas. Vestia um fato de saia e casaco azul-escuro, simples e com uma grande flor lilás na lapela. Dirigiu-se ao marido, deu-lhe o braço e cumprimentou os presentes com um grande sorriso. Os embaixadores e os três jovens retribuíram as saudações. Mr. Lair aceitou o braço que a mulher lhe oferecia e perguntou:

– *Darling*, mudaste de roupa?

Mrs. Lair olhou-o estupefacta e recuou dois passos, fixando depois o olhar no fato que trazia vestido, como se procurasse uma nódoa que previamente lhe escapara.

– Mudei de roupa?... – repetiu. – O que queres dizer com isso?

– Poderia jurar que te tinha visto com uma saia preta há dez minutos atrás... – Mas, vendo que a mulher não dava sinais de compreender o que ele dizia, decidiu mudar de assunto: – Toma. Aqui tens o xaile que me pediste.

A face de Mrs. Lair tornou-se lívida.

– Xaile? Que xaile? Mas eu não te pedi xaile nenhum…

– Claro que sim! Pediste-mo há pouco, quando me disseste para ir descendo e esperar por ti no *hall* de entrada…

Mrs. Lair olhou-o, com ar pasmado e triste. Apesar de ser uma pessoa tremendamente maçadora e por vezes inoportuna, dir-se-ia que amava muito o marido e era evidente que os seus problemas de saúde a preocupavam sobremaneira.

– *Oh, dear, dear*… – murmurou baixinho na direcção dos Torres. – Não anda mesmo nada bem, o meu marido. Nada do que diz faz sentido e passa a vida a esquecer-se de tudo…

– Como dizes, *darling*? – perguntou Mr. Lair, distraído.

Tinha-se afastado em direcção ao elevador, ainda parado no rés-do-chão e de porta aberta, pelo que aproveitava o espelho para ajustar o laço que trazia ao pescoço.

– Nada, nada – apressou-se a responder a esposa, aproximando-se dele e dando-lhe o braço. – Tomaste os comprimidos, não tomaste, *darling*?

– *Yes. Yes, I have* – assegurou o marido.

– Vamos então? – perguntou Mrs. Lair, dirigindo-se aos Torres.

– Com certeza – respondeu o embaixador, abrindo-lhe a porta de saída.

O grupo levou apenas cinco minutos a chegar à igreja onde rapidamente encontrou os respectivos lugares, marcados nos assentos de madeira maciça.

Uma vez sentados, os primos começaram de imediato a observar o ambiente à sua volta. Nenhum dos restantes vizinhos de *Craven Street* tinha chegado ainda.

Um enorme órgão, com dois anjos empunhando trompetes, fazia parte das parcas decorações da igreja, adornada com sobriedade e bom gosto. O vitral do meio, colocado mesmo por trás do altar, tinha uma cor azul muito bonita que se reflectia no espaço confinante. Oito colunas separavam a nave central das laterais e os bancos corridos de madeira davam um aspecto extremamente confortável e acolhedor à igreja.

Maria apontou para uma estranha insígnia no tecto, mesmo por cima do altar, que diferia do habitual escudo real, com o cavalo branco à direita e o leão dourado à esquerda, por ter no centro, sobre os dois animais, os ombros e a cabeça de um cavaleiro ou da sua armadura.

Apesar dos seis candelabros acesos, a luz era difusa, conferindo ao recinto um ar de certa intimidade que o aquecimento centralizado aprimorava.

Depois dos Torres e dos Lair, Mr. Wang foi o primeiro a chegar, sentando-se afastado dos vizinhos, no extremo da fila, depois de os cumprimentar com um breve aceno. Parecia nervoso e preocupado, olhando constantemente para o relógio que trazia no pulso.

Seguidamente, entraram Mrs. Hunt, Mrs. Sbarra, Miss Merle, Mr. Drake e Mr. Fields , sentando-se nas filas da frente e logo atrás dos Torres, depois de trocarem entre si as saudações da praxe.

Minutos depois a assistência cessou de fazer ruído e deu-se início ao concerto.

Maria olhou à sua volta. Mais uma vez Mr. Angelopoulos não se encontrava presente. Ainda não era desta que os primos teriam o prazer de o conhecer.

Pegou no bloco de notas e escreveu:

Faltam Miss Price, Mr. Bliss e Mr. Angelopoulos...

A irmã e o primo acenaram em sinal de reconhecimento.

André virou-se para a sua direita e reparou num homem que lhe pareceu ser um vagabundo. Trazia uma camisola escura de lã, de cor indecifrável, e calças do mesmo género, mas de material diferente. Por cima, um enorme e igualmente escuro casaco que, com toda a probabilidade, não tinha sido comprado à sua medida. Com um boné muito sujo em cima dos cabelos compridos e crespos e uma barba e bigode fartos que lhe cobriam quase toda a cara, parecia mesmo um sem-abrigo. Sobre as bochechas tisnadas e escuras luziam dois olhos castanhos, melancólicos. Era óbvio que não possuía uma casa e que precisava urgentemente do calor de uma igreja para se abrigar e aquecer.

André achou estranho que o vagabundo, sentado numa posição oblíqua, ocupasse quase três lugares, quando a igreja estava a abarrotar de gente. Ficou com a impressão de que tinha adormecido, até perceber que o homem o olhava fixamente. Algo naquele olhar o perturbou e o levou a desviar o rosto na direcção oposta, desconcertado e a tempo de ver duas velas apagarem-se, por coincidência, uma a seguir à outra, deixando um fio acinzentado revezar a chama desaparecida.

A primeira parte do concerto decorreu rapidamente. A assistência escutava, atenta e enlevada, e várias cabeças se moviam ao som da música, incapazes de controlar o instinto que as fazia acompanhar o ritmo contagioso das notas melódicas da cantata nº. 209 de Bach.

O intervalo não durou mais do que dez minutos, por isso quase ninguém se levantou.

Mrs. Lair não parava de falar, como de costume, queixando-se, desta feita, do alarme do prédio da frente.

– *It's terrible*! – exclamava. – Absolutamente terrível! Soa tão alto que parece que vem do nosso prédio. E é inacreditável que ninguém o venha desligar, não achas, *darling*?

O marido deu-lhe uma palmadinha no joelho e respondeu, sem grande entusiasmo:

– Temos de ter paciência...

Mr. Drake e Miss Merle, ouvindo o comentário nos bancos de trás acenavam afirmativamente em gesto de concordância.

– Se fosse só o alarme… – sussurrou Miss Merle. – E os barulhos estranhos no nosso andar, a horas despropositadas? Fazem-me arrepios!

Maria aguçou o ouvido. A história dos arrepios interessava-lhe.

– *C'est affreux!* – queixou-se a francesa. – Perturba-me de tal maneira que até estou a pensar em mudar de casa. Aliás, nem sei bem porque aceitei vir morar para aqui.

– Tem toda a razão – concordou Mr. Drake. – Às vezes até me parece que os barulhos vêm da parede ao lado do meu quarto. A princípio, ainda pensei que fossem os Lair, mas o mais estranho é que ouço os ruídos mesmo quando sei que eles não estão em casa. Não percebo o que será. Esta manhã falei com Mrs. Hunt que referiu qualquer problema na canalização… Assegurou-me que o canalizador virá ainda esta semana.

Decorreram mais alguns minutos de conversas variadas, sem grande conteúdo e com o único objectivo de fazer passar o tempo, até que o concerto recomeçou.

O vagabundo continuava a perturbar André, olhando-o fixamente, mas o rapaz decidiu não mencionar o facto às primas, para não as assustar. Voltou a desviar o olhar na direcção oposta e reparou que Mr. Wang se levantava do seu lugar, furtivamente.

André saltou do banco, quase por instinto, como se tivesse sido mordido por um bicho carpinteiro. Faltando-lhe o tempo para explicações, resolveu inventar que precisava de ir à casa de banho e pediu licença.

As primas, contudo, perceberam a verdadeira causa da evasão brusca e apontaram para o telemóvel, fazendo sinal a André para se manter alerta e telefonar em caso de dificuldade.

Mrs. Lair fitou-o com um olhar reprovador, fazendo-lhe uma pergunta premente, murmurada entre dentes:

– Mas porque é que não aproveitaste para ir no intervalo? Esta juventude não tem respeito nenhum pela arte…

Ana e Maria viram o primo sair pela porta da esquerda e olharam para o relógio. Eram oito e trinta e cinco.

À *suite* para orquestra nº. 2 em Si menor seguiu-se o famoso concerto de Brandenburgo nº. 5. Os minutos passavam, todavia André continuava sem aparecer.

Hugo e Sara Torres, admirados, olharam para as filhas. Estas, sorridentes, observaram os relógios como se achassem divertido que o primo estivesse a levar tanto tempo. Estavam na verdade com um mau pressentimento e não queriam inquietar os pais.

* * *

André saiu sem dar nas vistas, conseguindo abandonar a igreja sem que Mr. Wang desse conta.

O facto de o chinês ter passado quarenta e cinco minutos a olhar para o relógio como se estivesse à espera de algo específico, sem prestar grande atenção ao concerto, tinha posto o rapaz em alerta.

André tinha a impressão de que qualquer coisa se passaria nessa noite. Talvez a estatueta de Wang desaparecesse e, se assim fosse, era necessário saber onde se encontrava o homem no momento do crime. Tinha a certeza de que era ele o autor dos roubos e talvez tivesse aceitado ir ao concerto só para ter um álibi.

O chinês subiu a rua até chegar a *St. Martin's Place*, movendo-se com jeitos furtivos e olhando por cima do ombro, suspeitando que estivesse a ser seguido. Depois atravessou a rua e seguiu pela *Charing Cross Road* até *Leicester Square*.

André manteve-se sempre a uma distância mínima de cinquenta metros e fez questão de se esconder atrás de turistas e outros passantes para evitar ser apanhado em flagrante.

Wang atravessou *Leicester Square* com passos curtos e apressados. A meio da praça meteu por uma rua estreita que o levou

até *Lisle Street* onde, nessa mesma tarde, os primos tinham entrado no supermercado chinês.

Nessa altura, parou e encostou-se a um dos postes que evitavam o estacionamento de carros em cima do passeio. Inquieto e receoso, voltou a olhar para o relógio, observando as pessoas à sua volta e virando a cabeça para a esquerda e para a direita diversas vezes.

André aproveitou a sala de cinema *Prince Charles* à sua direita, fingindo ler a informação dos cartazes expostos enquanto, disfarçadamente, mantinha o vizinho debaixo de olho.

Felizmente os transeuntes eram muitos, ou não se encontrassem eles numa das praças mais concorridas do centro de Londres, o que permitia ao jovem manter-se no encalço do vizinho sem que este disso se apercebesse. Além do mais, era hora de jantar e os muitos restaurantes, que surgiam como cogumelos na área de *China Town*, estavam apinhados de gente à procura de comida chinesa ou japonesa.

Minutos depois, o chinês voltou a certificar-se que ninguém o seguia, desencostando-se do poste e caminhando para a esquerda. Virou à direita em *Wardour Street* e prosseguiu em frente até chegar à rua principal da *China Town* londrina, *Gerrard Street*, com os seus famosos portões vermelhos e verdes e o cheiro a comida oriental.

André recordou o comentário de Mrs. Lair no dia do jantar em casa de Mrs. Hunt. Aquela era a rua onde Mr. Wang morava antes de se mudar para o número 10 de *Craven Street*, pouco tempo antes de ter a tal discussão com o seu amigo de infância. O que estaria ele a fazer ali àquela hora?

A resposta não tardou a chegar. Wang não estava a fazer nada de especial em *Gerrard Street*, até porque não permaneceu ali por muito tempo. Entrou pelo portão oeste da cidade chinesa, atravessou a rua de ponta a ponta sem parar em lado nenhum e saiu pelo portão este, até chegar a uma pequena praça.

André estranhou aquele desvio. Se o objectivo era entrar em *Newport Place*, não havia necessidade de dar uma volta tão grande. Bastava ter virado à direita em *Lisle Street* e tomar a primeira rua à esquerda.

Wang olhou uma última vez para o relógio, sorriu com ar de quem acabara de atingir um objectivo e dirigiu-se a uma espécie de coreto erguido a meio da rua. Tratava-se de um pequeno monumento formado por seis colunas vermelhas dispostas em hexágono, com um telhado de traços tipicamente chineses e no qual repousava uma série de animais, que André tomou por leões.

De repente, Wang levantou-se e começou a correr. Dobrou a esquina da *Newport Street* e desapareceu de vista.

«Não acredito!», exclamou André, apanhado de surpresa. «Como é que ele desapareceu assim, tão depressa? Depois deste trabalho todo a segui-lo sem dar nas vistas... Não é justo!».

Olhou em redor e dirigiu-se ao coreto chinês. «Terá visto alguém quando estava sentado em cima desta mesa de pedra?», interrogou-se, desiludido.

Abandonou o coreto e virou a esquina, com a esperança de vislumbrar o chinês em qualquer canto escuro. Depois voltou ao coreto e sentou-se na mesa de pedra, como antes fizera o vizinho.

Estava distraído a pensar com os seus botões quando sentiu que alguém lhe tocava no ombro, como se lhe estivesse a chamar a atenção.

André voltou-se, sobressaltado, e deu de caras com Mr. Wang, com ar de poucos amigos. O rapaz saltou da mesa, mas desequilibrou-se e caiu ao chão. Tentou levantar-se, mas o chinês empurrou-o, impedindo-o de o fazer.

– O que é que quer? – perguntou André, assustado.

– Isso pergunto eu! – rosnou Wang. – Para que é que andas a seguir-me?

– Segui-lo? Eu? – contestou o rapaz. – Quem é que o anda a seguir? Eu não sou, com certeza!

Wang puxou André pelos colarinhos e encostou-o a uma das colunas do coreto. Depois deu uma gargalhada assustadora e disse:

– Claro que não me andas a seguir. Estás só a dar um passeio, sozinho, numa zona perigosa da cidade, quando devias estar a assistir a um concerto de música clássica!

André não sabia o que dizer. Era óbvio que o chinês dera conta de que o tinha estado a seguir, provavelmente desde que saíra da igreja de *St. Martin's*. Decidiu não negar as evidências e escolheu outra estratégia:

– O senhor também abandonou o concerto e veio para aqui. Que eu saiba a rua é pública e cada um é livre de fazer o que quiser!

Assim que acabou de proferir aquela frase exaltada, arrependeu-se. «Que escolha terrível de palavras!», pensou. A resposta provou-lhe que tinha razão:

– Exactamente! – exclamou ele. – Cada um é livre de fazer aquilo que quiser e eu vou seguir o teu conselho!

Empurrou André com tanta força que o rapaz foi bater contra a coluna oposta.

– Vou dar-te uma lição que vos vai ensinar, a ti e às tuas primas, a não meterem o nariz onde não são chamados.

André assustou-se. Aquela não era a conclusão que antevira para a sua noite. A história da perseguição nocturna ainda ia acabar mal. Pensou em gritar por socorro, mas a malfadada rua de Londres tinha-se tornado estranhamente vazia de um momento para o outro. Olhou para os prédios de *Gerrard Street* e viu duas janelas fecharem-se com discrição. Ninguém queria ter nada a ver com o incidente. «Parecem os três macacos sábios chineses: não vêem, não ouvem e não falam...», pensou consigo mesmo. «E agora?»

Pegar no telefone e chamar as primas ou a Polícia estava fora de questão. Era como se pedisse licença ao seu atacante dizendo-lhe: «Desculpe, dê-me só um minuto que preciso de fazer uma chamada...»

O primeiro soco chegou sem que André estivesse preparado, indo de encontro à barriga e obrigando-o a dobrar-se em dois. Contudo, a sua destreza física permitiu-lhe desviar-se do segundo, que acertou na mesa de pedra. Wang, enraivecido, viu-se forçado a engolir um grito de dor.

A fúria fê-lo empurrar André de novo para o chão.

– Mas o que é que está a fazer? – perguntou o rapaz, cada vez mais assustado, mas tentando raciocinar com lógica. – Não está à espera que fique calado depois de me bater desta maneira, pois não? É claro que vou contar tudo à Polícia e a Mrs. Hunt e...

– Não sejas idiota! – berrou o outro. – Tu não vais abrir a boca porque se o fizeres as tuas queridas priminhas vão sofrer as consequências. Tenho a certeza de que não são tão corajosas como tu.

Puxou o pé direito para trás e preparava-se para dar um valente pontapé nos flancos de André quando o inesperado aconteceu.

Subitamente, alguém vindo do nada puxou André para trás, evitando assim o pontapé doloroso que o chinês se aprestava a desferrar-lhe. Com a mão esquerda, o misterioso salvador empurrou Wang com força na direcção do coreto, fazendo-o desequilibrar-se e cair por terra.

André, aproveitando a confusão, escondeu-se num ápice atrás de uma coluna, ainda não completamente restabelecido do violento soco que recebera na barriga. O seu sentido de humor levou-o a pensar que, no meio daquilo tudo, ainda tivera sorte em não receber um soco na cara. Seria difícil justificar perante os tios um olho negro obtido nas casas de banho da igreja de *St. Martin's* …

A mão salvadora, como André em seguida percebeu, pertencia ao vagabundo que o fixara tão atentamente durante o concerto.

O rapaz viu-o pregar dois ou três murros na cara de Wang, seguidos de alguns pontapés valentes, que em poucos minutos puseram fim à rixa.

Um carro-patrulha nocturno passou pela rua, vindo de *Shaftesbury Avenue* e abrandou sem parar. A cabeça de um polícia chegou-se à janela aberta, mas, não se apercebendo de nada, deu instruções ao colega para prosseguir.

Wang, curvado sobre a barriga e coxeando, aproveitou a oportunidade que a Polícia mais uma vez lhe oferecia e desapareceu no interior da noite, sem deixar rasto.

O vagabundo sacudiu as mãos e olhou à sua volta. Não teve dificuldade em localizar André, escondido ao dobrar da esquina, a observar a cena.

O homem voltou a olhá-lo fixamente e depois levantou o braço com o mesmo gesto de quem enxota um cão, fazendo-lhe sinal para desaparecer da sua vista.

André devolveu-lhe o olhar, sem conseguir evitar a sensação de reconhecer algo de familiar naquela cara e naqueles modos. Por fim baixou a cabeça em sinal de agradecimento e

foi-se embora, correndo até se enfiar na *Charing Cross Road* e regressar ao concerto.

* * *

Quando saíram da igreja, os primos afastaram-se do resto do grupo de vizinhos que se reuniu nos degraus da escadaria para discutir a qualidade da música interpretada por aqueles artistas.

– Demoraste tanto tempo! Já estávamos preocupadas – disse Maria, ansiosa. – O que é que descobriste?

– Descobri que Wang tem uma direita muito forte… – queixou-se o primo, sorridente, massajando a barriga.

– Bateu-te?! – exclamou Ana, assustada. – É mesmo um criminoso. Temos de contar aos pais!

– Não! – interveio o rapaz, decisivo. – Não podemos contar a ninguém. Foi só um murro, mais nada. Não me magoou assim tanto…

– Mas porquê? – perguntou Maria.

André olhou por cima do ombro da prima, atento aos ouvidos dos vizinhos.

– Disse para não metermos o nariz onde não somos chamados e para o deixarmos em paz…

– Achas que é ele que está por detrás dos roubos? – quis saber Ana.

– Depois do que fez esta noite, tenho a certeza! – respondeu o primo.

André contou-lhes então os pormenores do que se passara em *China Town*.

– Que sorte! – disse Ana, aterrada. – Ainda há pessoas boas no mundo… Se não fosse o vagabundo, quem sabe o que o idiota do Wang seria capaz de fazer!

– Acho que temos de combinar uma coisa entre nós – propôs a irmã, sentindo-se culpada. – Não podemos embarcar sozinhos nestas aventuras. Pode ser perigoso. Se te tivesse acontecido alguma coisa, nenhuma de nós saberia onde estavas. Foi uma estupidez! Não devíamos ter-te deixado ir.

– Tens razão – reconheceu o primo. – Mas nunca pensei que isto fosse acontecer. Esperava que tudo não passasse de uma perseguição simples, sem perigos.

– Pelos vistos há perigos onde menos se espera – disse Maria, à laia de conclusão. – Então estamos combinados?

Os outros concordaram, sem objecções.

– No meio disto tudo, só não percebo porque é que Wang se deu ao trabalho de aparecer no concerto se tinha intenção de desaparecer a meio… – disse Ana, pensativa.

– Aposto que amanhã descobrimos que a sua estatueta foi roubada – disse André.

– Uhmm… – murmurou Maria. – Não era preciso fazer esta encenação toda para roubar uma estatueta que lhe pertence… Podia roubá-la em qualquer altura!

* * *

Regressaram a casa, confusos, na companhia dos vizinhos, mas nenhum deles mencionou o que acontecera a André.

Foi Mrs. Lair a primeira a entrar no prédio e a reparar no monte de cartas deixadas em cima da mesinha da correspondência, no *hall* de entrada.

– Que estranho… – disse, voltando-se para o grupo que acabara de se lhe juntar. – Ia jurar que estas cartas não estavam aqui quando saímos para o concerto.

Mrs. Hunt acenou, concordante.

– Tem razão – disse. – Fui a última a sair e tenho a certeza de que não havia aqui mais nada para além destas revistas de ofertas imobiliárias.

Miss Merle, curiosa, mas sem perceber porque se estava a fazer tanto suspense com algo que rapidamente se esclareceria, pegou no maço de cartas e enunciou:

– Mr. Drake... aqui tem. Miss Price... não está. Mrs. Hunt...

Distribuiu as missivas a todos os vizinhos e ainda foi a tempo de abrir a sua em primeiro lugar.

– Ora, não percebo para que é tanta comoção. Trata-se apenas de um convite para uma peça de teatro... – explicou a jovem francesa. – Não tem selo, por isso foi entregue em mão. O único facto estranho é... não ter remetente. Quem é que terá tido a amabilidade?...

Ana, Maria e André olharam uns para os outros. Todos eles acabavam de ter a mesma ideia. Antes que o embaixador tivesse tempo para abrir o envelope que lhe estava destinado, Maria pegou nele e pediu:

– Posso, pai?

Hugo acedeu e em poucos segundos os primos leram o conteúdo da carta. Era, de facto, um convite para irem ao teatro e para assistirem, no dia seguinte, a uma peça que já conheciam de nome.

– *And Then There Were None*, de Agatha Christie... – leu Maria, em voz alta.

VII
O SEGREDO DE MRS. HUNT E A LISTA DE WESTMINSTER ABBEY

– Oh! Adoro Agatha Christie! – exclamou Mrs. Sbarra, que nessa noite tinha estado bastante calada. – A rainha incontestável dos romances policiais… Mrs. Lair também gosta muito dela, não é verdade?

Os primos estranharam a pergunta.

Mrs. Lair, distraída a analisar o envelope que lhe tinha sido entregue, pareceu tomada de surpresa.

– Eu? – perguntou, desatenta. – Sim, sim. Tem razão, gosto muito dos romances dela.

Mr. Lair e Mr. Drake bocejaram ao mesmo tempo e a coincidência foi suficiente para despoletar as saudações nocturnas.

– Boa noite… – disse Mrs. Hunt, procurando as chaves do seu apartamento na bolsa preta que trazia ao ombro.

Os outros seguiram-lhe o exemplo e o *hall* de entrada do prédio esvaziou-se em poucos minutos.

* * *

Foi exactamente no *hall* de entrada, por volta das onze horas da manhã, que os primos ficaram a saber das novidades através de Mrs. Hunt.

Afogueada e acabada de regressar da rua, a senhoria sacudia freneticamente o chapéu-de-chuva molhado, enquanto deixava escapar exclamações de espanto:

– *It's not possible! It's not possible!*... – dizia, antes de se aperceber da presença dos jovens. – Mas como é que isto pode estar a suceder? Qualquer dia vão-se todos embora, é o que vai acontecer!

– Bom dia, Mrs. Hunt – cumprimentou Maria. – O que se passa? Teve algum problema? Podemos ajudá-la em alguma coisa?

A senhora olhou para a rapariga, surpreendida, e colocou o chapéu-de-chuva molhado no recipiente dos guarda-chuvas, ao lado da porta de entrada.

– Ajudar-me? – perguntou, transtornada. – Só se conseguirem descobrir quem anda a roubar os meus inquilinos!

Os primos arregalaram os olhos, espantados. Ter-se-iam os prognósticos de André verificado assim tão depressa? Quem sabe se a estatueta de Wang teria sido roubada por ele próprio?

Ao ouvir a frase de Mrs. Hunt, Maria notou um pormenor: a senhoria parecia ter-se esquecido de que também ela, e não apenas os seus inquilinos, tinha sido vítima de um assalto.

– Houve... mais algum roubo? – perguntou, a medo.

– Não! – exclamou ela.

Os primos deixaram escapar um suspiro de alívio que depressa se revelou inapropriado.

– Não se deu mais *um* roubo! – prosseguiu tempestuosa, pois obviamente ainda não tinha concluído o que tinha para lhes dizer. – Deram-se mais *três* roubos!

Tinha a face ruborizada e tremia como se a tivessem assaltado a ela própria mais uma vez.

– O quê?! – exclamaram os três jovens, em uníssono.

– Três roubos? – perguntou André, perplexo. – Quem é que foi roubado?

– E o que é que roubaram? – acrescentou a prima mais velha.

Mrs. Hunt deu dois passos na direcção da mesa da correspondência, pousou a mala em cima desta e compôs os cabelos, tentando acalmar-se, mas em vão.

– O... primeiro... foi... Mr. Wang – começou por dizer, perturbada.

Ana, Maria e André trocaram olhares de cumplicidade. A coisa não os surpreendia.

– Roubaram-lhe uma pequena estatueta asiática muito valiosa, da dinastia *Ming*... Ou será *Tang*? – interrompeu-se ela, confusa.

– E mais alguma coisa? – quis saber Ana.

– A ele, não roubaram mais nada.

– Que estranho... – murmurou Maria, pensativa. – E como é que conseguiram entrar?

– Isso ainda é mais estranho – prosseguiu Mrs. Hunt. – Não havia sinais de arrombamento nas portas ou nas janelas. É como se o ladrão tivesse as chaves de casa!

«Ou então roubou-se a si próprio!», pensaram, seguindo a lógica das suas suspeitas.

– É isso que a Polícia diz? – perguntou André.

– Uhmm... – suspirou a senhoria, com um imenso desconforto estampado no rosto. – Bem... a verdade é que...

– Então? – insistiu o rapaz. – O que disse a Polícia sobre isto?

– A Polícia não... Não disse nada – respondeu ela, por fim, extenuada.

– Nada?! Não ofereceram nenhuma explicação plausível?

– Não, porque... Ninguém chamou a Polícia! E escusam de me perguntar porquê, pois parece-me bastante óbvio.

Os três jovens arregalaram os olhos, atónitos. Embora não vissem nada de óbvio naquele caso, decidiram não insistir.

– Quem mais foi roubado? – perguntou Maria.

– Roubaram um relógio antigo de parede a Mr. Drake e a…

Nesse momento, a porta de entrada abriu-se violentamente e Mr. Bliss entrou. Vinha encharcado, por não trazer chapéu--de-chuva e tinha cara de poucos amigos.

– Mr. Bliss… – exclamou Mrs. Hunt, torcendo as mãos, mais nervosa que nunca. – Descobriu alguma coisa sobre a sua colecção antiga de facas e garfos de marfim?

«Então também roubaram Mr. Bliss?», pensou André. «Ele é que não devia ter problemas em chamar a Polícia, uma vez que até trabalha para a *Scotland Yard.*»

– Não – respondeu ele, secamente. – Não descobri nada. E os outros? Mr. Wang? Mr. Drake? Sabe alguma coisa deles?

Mrs. Hunt, acanhada, negou com a cabeça.

– Porque não chama a Polícia? – arriscou André.

Mr. Bliss, que se preparava para os deixar, quase fulminou o rapaz com as faíscas que lhe emanavam dos olhos.

Viram-no subir pelas escadas, furibundo e lançando exclamações enraivecidas. O seu olhar exaltado além de mostrar bem a ira que o consumia, provocou também em André uma reacção estranha que este, naquele momento, não conseguiu definir.

– Isto é de doidos! – gritava, ao afastar-se. – De doidos!

Um arrepio percorreu as costas de Mrs. Hunt, fazendo-a tremer. A situação era, obviamente, muito delicada para si e o mau humor do inquilino não ajudava a tranquilizá-la.

Assim que deixaram de o ouvir, Maria voltou ao tema dos objectos roubados:

– E esses três objectos foram as únicas coisas que roubaram? – insistiu Ana.

– *Well, yes*... É um pouco insólito, não é verdade? – disse Mrs. Hunt, meditativa e agitada. – Seja como for, vou ter de começar a colocar anúncios de aluguer nos jornais. Tenho a certeza de que daqui a pouco todos os meus inquilinos se irão embora. E eu não posso ficar com os apartamentos vazios. *Oh, God!* Que hei-de eu fazer? Que hei-de eu fazer?

– Ah, já agora, por falar nisso... – disse Maria. – Como foi que os inquilinos actuais vieram parar ao seu prédio?

– Que pergunta! – indignou-se a senhoria. – Vieram porque os apartamentos são excelentes e o prédio é extremamente central, mesmo aqui ao lado da *Strand*. Além disso, eu tenho referências muito boas...

Maria, percebendo que a sua pergunta tinha sido mal interpretada, procurou justificar-se:

– Na verdade referia-me às referências *deles*...

– *Oh, I see*... – disse Mrs. Hunt, retomando a compostura. – Bem... na maior parte dos casos estas coisas advêm por *word of mouth*, ou seja de passa-palavra entre amigos que se recomendam uns aos outros. Sim... foi isso mesmo. Segundo me recordo, só no vosso caso e no de Mr. Bliss é que esteve envolvida uma agência imobiliária.

Os primos franziram a testa. Passava-se alguma coisa muito estranha naquele prédio. Por que razão eram os inquilinos assaltados e em seguida se recusavam a chamar as autoridades? E porque é que os ladrões só roubavam uma coisa a cada um deles? Só faltava que os três objectos roubados estivessem também relacionados com leões...

Maria considerou colocar a questão a Mrs. Hunt, mas não sabia se podia confiar nela. Para todos os efeitos, e apesar de ter sido uma das primeiras vítimas, a senhoria fazia parte da lista dos suspeitos, tal como todos os outros.

«Não, é melhor não», decidiu. «Mas, por outro lado, se não fizermos perguntas, voltamos a entrar num beco sem saída. E a verdade é que precisamos de pistas que nos levem a algum lado...»

– O que hei-de eu fazer? – continuava a repetir impacientemente a senhora, com as primeiras lágrimas a escorrerem-lhe pelas faces. – O que hei-de eu fazer?

De repente, Maria teve um dos seus estranhos pressentimentos e decidiu tentar a sorte. Olhou para Mrs. Hunt com ar desafiante, mas compreensivo, e disse:

– Se quiser, podemos ajudá-la, mas...

O soluçar de Mrs. Hunt cessou de imediato para fixar Maria, com ar interrogativo e hesitante.

– *Mas*?...

– Mas para isso vai ter de nos contar o seu segredo...

A senhoria observou-a, apreensiva e sem ter a certeza de compreender muito bem o que a jovem queria dizer com aquilo.

– O meu... *segredo*? – tartamudeou. – Que... segredo?

Maria mordeu os lábios. E agora? O pressentimento que acabara de ter não incluía uma resposta para esta pergunta. Precisava de inventar qualquer coisa rapidamente, ou o seu *bluff* iria por água abaixo num instante.

– O segredo... do número *dez*! – exclamou, atirando para o ar uma das duas palavras que tinha em mente, na esperança de que surtisse o efeito desejado.

Ana e André olharam para ela surpreendidos, sem perceberem onde queria chegar com aquela história. Que segredo do número dez era aquele?

A reacção de Mrs. Hunt, porém, foi muito interessante. Suspirou profundamente, pegou na mala que deixara em cima da mesa da correspondência, colocou-a debaixo do braço e por fim disse:

– Venham comigo.

Os jovens seguiram-na em silêncio e ninguém pronunciou palavra até entrarem no apartamento da senhora.

Mrs. Hunt acendeu a luz do *hall* de entrada encaminhando--se logo de seguida para a sala que os primos já conheciam.

– Sentem-se – ordenou, indicando o grande sofá bege de pele e abrindo as cortinas das janelas.

O olhar dos três atravessou as grandes vidraças, detendo-se por momentos na chuva a cair e na Lua, estranhamente visível, ao longe, ambas alheias e indiferentes ao segredo do número dez, aos objectos roubados, aos enigmáticos leões e aos restantes mistérios de Londres.

Os versos de uma poesia de João de Lemos, *A Lua de Londres*, vieram de imediato à cabeça de Maria:

Meiga Lua! Os teus segredos
onde os deixaste ficar?

«Caem que nem uma luva...», pensou.

Mrs. Hunt dirigiu-se então à sua esplêndida garrafeira e serviu-se de um cálice de porto. Bebeu-o de um trago, com os olhos fechados, e depois sentou-se no cadeirão em frente aos primos, voltando a suspirar.

– Não sei como descobriram esta coisa do número dez – disse ela, já mais calma – mas... sendo assim, o melhor é ouvirem a história da minha boca. Há já uns tempos que ando desconfiada por causa de uma série de incidentes estranhos.

Os primos chegaram-se à frente no sofá e Maria, satisfeita e curiosa, pensou que tinha acertado na tecla.

– Tudo começou há cerca de um ano quando encontrei uma lista de dez nomes de família no apartamento que agora vos alugo. Andava a fazer umas limpezas e dei com essa lista manuscrita numa folha de papel amarelada. Estava dentro de um livro, na estante da sala, ao lado de uma série de folhetos da *Evensong*, celebrada em *Westminster Abbey*. Inicialmente não lhe atribuí grande importância ou significado, por isso meti-a dentro do bolso do casaco de malha que trazia vestido e não pensei mais nela.

«Passados uns meses, quando voltei a vestir o mesmo casaco, deparei-me com a lista que já conhecia, mas desta vez a minha reacção foi totalmente diferente.

«Imaginem o meu espanto quando reparei que os nomes da lista eram iguais, em setenta por cento dos casos, aos apelidos dos meus inquilinos! Não sabendo o que pensar daquela coincidência, resolvi regressar ao vosso apartamento, que na altura ainda estava vazio, para ver se encontrava mais indícios.

«A única coisa que encontrei foram os tais folhetos da *Evensong* que anteriormente vira entre as páginas do mesmo livro. Mas uma análise mais aprofundada fez-me reparar que as datas dos mesmos eram muito próximas, com periodicidade quase semanal. Isto levou-me a deduzir que quem os colocara ali dentro assistira a todas aquelas cerimónias.»

– Havia datas?! – perguntou Ana, interessada. – E que datas eram essas?

– Cobriam um período muito extenso, mas eram todas anteriores a 1943.

«1943 de novo?!», pensaram os primos. Não podia ser apenas uma coincidência. Talvez os folhetos e a lista de nomes estivessem relacionados com a carta e o panfleto que tinham encontrado escondidos dentro do quadro partido. Afinal de contas, todos eles tinham sido encontrados no mesmo apartamento.

Maria considerou partilhar a história do quadro com a senhoria, mas uma pequena dúvida impediu-a de o fazer.

– A quem pertencia o livro dentro do qual encontrou a lista?

Mrs. Hunt pareceu tomada de surpresa.

– O livro?... Bem... A mim, claro! – respondeu.

– Tem a certeza? – inquiriu Maria.

– Uhmm... sim. Quero dizer, pertence-me a mim, mas não sei quem o terá comprado, originariamente. Talvez fizesse parte da biblioteca da minha família ou...

Maria insistiu:

– *Ou*?... Não poderia fazer parte dos bens adquiridos à família de Mrs. Lair? – perguntou, lembrando-se do que a própria Mrs. Hunt lhe dissera dias antes.

– Uhmm... Não sei... É possível. São tantos livros... Seja como for, aquela história surpreendeu-me ainda mais quando reparei que em vários folhetos alguém anotara as palavras *Magister Scholarium* repetidas vezes. Achei-as tão enigmáticas que resolvi eu própria presenciar uma das cerimónias religiosas.

«Só quando assisti à minha primeira *Evensong*, percebi o significado daquelas palavras: encontram-se escritas por cima de um dos cadeirões, na sala do coro, onde se celebra a oração cantada.

«Ainda mais curiosa, decidi regressar na semana seguinte, tentando sentar-me exactamente naquele lugar.»

Os primos seguiam as suas palavras de boca aberta e olhos esbugalhados, sem perderem nenhum pormenor.

– A cerimónia é incrível, como se algo muito antigo tivesse sido transportado para os nossos dias. E tem características que levam à meditação. Reflecti bastante nestas minhas dúvidas, mas infelizmente não consegui descobrir nada que ajudasse a clarificá-las.

– Não reparou em mais nada? – perguntou Ana, desiludida.

– *I'm afraid not* – disse a senhora.

– No jantar em sua casa... – interrompeu André, lembrando-se de um pormenor. – Disse-nos que, se gostássemos de leões, deveríamos assistir à *Evensong*. Porquê?

– A sala onde se faz a cerimónia é incrivelmente bela, como vos disse. Tem imensos brasões e alguns deles têm leões. Só vos falei nisso porque pensei que gostassem de leões.

Fez-se então silêncio. Os jovens não pareciam muito contentes com a história de Mrs. Hunt. Afinal era aquele o grande segredo do número dez? Uma simples lista de nomes? Em que é que isso poderia ferir a honra de alguém? Não continha nada de que a senhora se pudesse sentir envergonhada. Por outras palavras, aquilo não era um *segredo*.

Mrs. Hunt apercebeu-se do que ia na cabeça dos jovens e decidiu explicar-se:

– Agora vem a parte mais interessante da minha história... Como vêem, não fui capaz de descobrir nada em *Westminster Abbey* e voltei a não pensar mais no caso. Só comecei a assustar-me recentemente, quando notei que a tal percentagem de coincidência entre os nomes da lista e os dos meus inquilinos... tinha aumentado de setenta para noventa por cento!»

Os jovens sentiram-se, pela primeira vez, levemente preocupados. Se a percentagem tinha subido para noventa por cento, isso queria dizer que o apelido Torres provavelmente também fazia parte da lista.

A senhora apercebeu-se da inquietação dos jovens e resolveu acalmá-los:

– Não se preocupem. O vosso é justamente o único nome que não aparece...

Suspiraram de alívio. Desconheciam o significado da lista ou a razão pela qual alguém a elaborara, mas em todo o caso sentiam-se muito melhor por não fazerem parte dela.

– Só vos contei isto porque estou convencida de que está relacionado com os roubos. *Otherwise, what on earth could this all mean*? Encontrei uma lista de dez apelidos que correspondem exactamente aos nomes de dez dos onze habitantes do prédio e agora, de repente, esses mesmos indivíduos começam a ser alvos de assaltos. Tem de haver alguma relação!

– E porque não chama a Polícia e lhes conta o que pensa sobre isto? – perguntou Maria, tocando no busílis da questão. – Um dos dez nomes é o seu, não é verdade?

Mrs. Hunt tornou-se novamente inquieta e nervosa.

– Tenho as minhas razões para não chamar a Polícia – disse, secamente, levantando-se.

«E essas razões são o seu verdadeiro segredo», pensou Maria.

– Bem, já vos disse tudo o que sabia. Agora vão ter de me desculpar, mas preciso de contactar alguns jornais e começar a colocar anúncios para alugar novamente os apartamentos.

– Mas ainda ninguém se foi embora – disse Ana.

– Não... – respondeu a senhora. – Mas não há-de faltar muito para que isso aconteça.

* * *

Não foi preciso sequer debater o próximo passo a dar. Depois do que tinham ouvido a Mrs. Hunt, o lugar mais óbvio a investigar era a sala onde se realizava a *Evensong*, na abadia de *Westminster*, e foi para lá que se encaminharam por volta das duas e meia da tarde.

A Igreja Colegial de S. Pedro, mais conhecida por *Westminster Abbey*, era um lugar muito importante por várias razões:

para além de a sua existência ser antiquíssima e de a sua construção datar de 1045, possuía uma arquitectura de traços góticos relevantes e era ali que se procedia às cerimónias de coroação e enterro dos monarcas ingleses. A abadia albergava também uma série de túmulos onde repousavam outras grandes individualidades. Na nave principal encontravam-se, por exemplo, Charles Darwin e Sir Isaac Newton, enquanto na Esquina dos Poetas, ou *Poet's Corner*, jaziam escritores como Charles Dickens e Rudyard Kipling, Prémio Nobel da Literatura e autor de *O Livro da Selva*, ou o compositor Frederick Händel, entre muitos outros.

Os primos entraram na abadia pela Porta Norte e seguiram as indicações dos sacristães que lhes indicaram o corredor à esquerda. Viram algumas pessoas em pé, à espera que um enorme portão de ferro se abrisse e os deixasse transitar para o recinto seguinte.

– Deve ser ali – indicou André.

Os jovens aproximaram-se do portão e olharam através dele. A magnificência da abadia via-se em todos os seus ângulos: nos vitrais, estátuas e arcos ogivais muito trabalhados, nos túmulos adobados, nas colunas imponentes, nos tectos altíssimos e até na iluminação dos espaços.

Ao fundo, ouviam-se as vozes dos monges Beneditinos a ensaiar as últimas melodias da *Evensong*, ou *Evening Prayer*, que consistia numa liturgia cantada da Igreja Anglicana e que encontrava as suas origens nas Vésperas cantadas da Igreja Católica.

Esperaram cerca de vinte minutos até que o mesmo ajudante lhes veio abrir o portão. Por essa altura, já muita gente se tinha aproximado e a fila de pessoas aumentara a ponto de ocupar agora todo o corredor.

– Ainda bem que chegámos cedo! – disse Maria, vendo a forma como um casal de turistas alemães, de mochila às costas, máquina fotográfica ao pescoço e sandálias com meias brancas até ao joelho, empurrava os vizinhos para passar à frente deles.

Felizmente, os primos estavam entre os primeiros da fila. Mesmo assim, o sacristão fê-los parar, pedindo-lhes que esperassem um pouco. Explicou à assistência que as pessoas com lugares reservados tinham prioridade e que por isso deviam passar para a frente. Só então deixou passar os jovens, seguidos de outras pessoas, numa rígida fila indiana.

A sala do coro era rectangular, com chão de mármore aos quadrados pretos e brancos, dispostos na diagonal e tectos altíssimos, com arcos de ogiva gótica. A cerimónia desenvolver-se-ia de forma muito diferente das habituais missas religiosas em que os sacerdotes ficavam de pé, por trás do altar, voltados de frente para os ouvintes. Neste caso, a audiência ficava disposta ao longo de seis filas, três de cada lado da sala, uma em frente à outra, como se se tratasse de dois anfiteatros rectilíneos e paralelos. O sacerdote falaria à assembleia de fiéis sentado numa destas filas.

Foram apenas cerca de quarenta as pessoas que conseguiram entrar na sala principal do coro e sentar-se nos magníficos cadeirões, sob as ogivas de madeira trabalhadas com relevos exuberantes.

Os primos só deram conta da sorte que tinham tido quando viram as restantes pessoas serem obrigadas a ocupar os normais bancos corridos na antecâmara da sala, o que as faria assistir à cerimónia com os pescoços virados para o lado e não para a frente.

Os lugares a ocupar por cada um dos quarenta afortunados eram indicados pelos vários ajudantes, todos eles vestidos com longas túnicas pretas e estolas *bordeaux*. Não obstante, André conseguiu sentar-se no lugar que lhes referira Mrs. Hunt, nos nichos das últimas filas. Leu o nome *Magister Scholarium* sobre a sua cabeça e reparou no brasão real com o leão e o cavalo que já vira em tantos outros locais. O turista à sua direita – que percebeu ser francês graças ao guia que tinha nas mãos – imitou-o, lendo, com perplexidade, o nome *Hypodidascalvs* por cima de si. À esquerda de André, dentro do nicho ao seu lado, via-se o nome *Capellanus*, sob o qual se sentara uma senhora inglesa. Os três lugares, consecutivos, encontravam-se perto do órgão, na terceira fila da parede norte.

Nem Ana, nem Maria conseguiram sentar-se ao lado do primo, acabando, contudo, por ficar mesmo à sua frente, no lado oposto da sala, na parede sul e também elas ocupando lugares nos nichos da terceira fila.

Pouco depois, quando já todas as pessoas vindas do exterior estavam sentadas, a porta à esquerda abriu-se, fazendo passar os *Quire Boys*, ou rapazes do coro, todos eles do sexo masculino. Os primeiros a entrar, em fila indiana, entoavam um cântico de Bach e sentaram-se na parte central das filas que os ajudantes tinham mantido vazias propositadamente. Os mais novos, com cerca de seis anos, vinham a seguir, mas não cantavam e sentaram-se na primeira fila. Todos eles vestiam túnicas vermelhas e sobrepelizes brancas, cujos colarinhos aos folhos despontavam em torno do pescoço.

Os últimos a entrar e a ocupar os lugares nos cantos da sala, ao lado da porta, eram bastante mais velhos. Entre eles encontrava-se o sacerdote responsável que presidia à oração cantada. Tinha uma túnica preta e uma longa estola de cor púrpura em volta do pescoço que lhe chegava até aos pés.

Era estranho o ambiente circunspecto que se fazia sentir na sala. Ninguém falava, talvez por todos se sentirem num espaço e num tempo que não pareciam reais, ou contemporâneos, mas saídos de um filme sobre a Idade Média, em que cada indivíduo interiorizava o que sentia, sem trocar pareceres com o vizinho do lado, acolhendo o convite à meditação que a *Evensong* sugeria.

André estava tão absorvido por aquela aura meditativa e peculiar que quase se esqueceu do verdadeiro propósito que os levara até ali. Foi preciso as primas fazerem-lhe sinal, discretamente, do outro lado da sala, para que o rapaz descesse à Terra e iniciasse a investigação que se propusera conduzir.

Os lugares que os primos ocupavam, na terceira e última filas eram particulares, pois encontravam-se dentro de nichos que não permitiam ver o que fazia o vizinho do lado, a menos que se chegassem para a frente. Era como se uma série de confessionários sem porta tivessem sido colocados uns ao lado dos outros.

Esta disposição acabou por auxiliar André nas suas pesquisas, que se desenvolveram sem o olhar curioso da senhora inglesa e do turista francês, que estavam ao seu lado.

Tentando não dar nas vistas, o rapaz observou com atenção todos os pormenores à sua volta e no seu lugar, mas não encontrou nada que lhe parecesse digno de referência.

A missa cantada prosseguia no máximo recolhimento, para pasmo de quem a ela assistia pela primeira vez, dado que absorvia o pensamento e as mentes de todos os fiéis e visitantes.

Tinham já passado trinta minutos e André começava a sentir-se nervoso. Afinal aquela pista ia revelar-se tão infrutífera como as restantes e o caso acabaria por não se resolver. Seria uma enorme frustração regressar a Évora sabendo que tinha falhado. Voltou a olhar à sua volta. Reparou então que por cima da cabeça das primas existiam também peças heráldicas com leões, embora mais pequenos que aquele próximo de si, que parecia ser o principal. Assim, por coincidência, os três jovens tinham acabado por sentar-se sob os únicos leões que se vislumbravam na sala do coro.

«Isto não quer dizer nada», pensou André. «São apenas escudos brasonados com leões. Preciso de encontrar algo importante! Mas não vejo absolutamente nada!»

Chegou-se à frente no seu cadeirão e olhou para o lado. O turista francês sorriu-lhe, com ar beato, voltando-se de imediato para a frente. A senhora inglesa, que estava do outro lado, nem sequer reparou nele, absorta como estava com as vozes jovens e graciosas dos rapazes do coro.

André observou o resguardo de madeira que os separava da fila da frente, mas não viu nada que lhe prendesse a atenção.

Olhou depois para a parte do resguardo em frente aos dois vizinhos e só então notou que havia uma diferença entre os três. Na madeira escura, mesmo à sua frente, tinham sido gravados alguns desenhos muito pequenos e tão perfeitos que, à primeira vista, pareciam fazer parte da decoração. Porém, os mesmos desenhos não existiam em frente da senhora inglesa, nem do turista francês. Foi apenas quando se aproximou das gravações, que o rapaz percebeu que o trabalho, por mais artístico que pudesse parecer, tinha sido elaborado por alguém sentado no seu lugar e não por um dos artesãos que tinham ajudado a decorar a abadia com tanto primor.

Os desenhos eram dez, o que, só por si, o surpreendeu muito. Mas ficou ainda mais admirado quando percebeu em que consistiam os objectos gravados. Dispostos em duas filas verticais de cinco objectos cada, viam-se uma moldura, um colar, um livro, um selo, um garfo e uma faca, um relógio de parede, uma terrina, um globo terrestre, um violino e um leão…

VIII

AS EXPLICAÇÕES DE MARIA

Os primos estavam sentados num dos bancos de madeira de *St. James Park* onde André acabara de relatar os pormenores das suas descobertas às duas irmãs.

– Eu bem digo que esta coisa do número dez esconde um segredo muito estranho – disse Maria, pegando no seu bloco de notas e escrevendo nele o nome dos dez vizinhos de *Craven Street*.

– Do número dez... e dos leões! – acrescentou a irmã.

– Deixa ver outra vez a carta que encontrámos – pediu Maria.

André abriu a mochila e entregou-lhe a carta.

A jovem começou a ler a cantilena em voz alta, mas deteve-se assim que terminou de ler o primeiro verso.

– Que estranho... – disse, pensativa. – Nunca tinha reparado que a palavra *Leão* tinha sido escrita com um L maiúsculo.

– A sério? – perguntou Ana, olhando para a carta que a irmã segurava.

– Uhmm... Sendo assim, talvez se trate de um nome...

– Um nome? – perguntou André, interessado.

Maria não respondeu, limitando-se a fixar a cantilena. Decidiu então copiá-la para o seu bloco de notas, na página ao lado dos dez nomes que tinha escrito anteriormente.

Ana e André continuavam a falar entre si, discutindo os pormenores dos desenhos encontrados, mas Maria quase não os ouvia.

– É óbvio que os desenhos gravados no resguardo de madeira têm a ver com os nossos *objectos-leão* – disse o rapaz.

Tinha nas mãos o decalque que conseguira fazer antes de abandonar a sala do coro, usando um pedaço de papel e um lápis de carvão. A técnica era a mesma que usara para decalcar o desenho encontrado na rocha de Wadi Rum, quando o grupo desvendara O *Segredo do Mapa Egípcio*.

– Tens toda a razão – concordou a prima, observando o decalque. – O livro corresponde à bíblia de Mrs. Sbarra; a moldura deve ser o quadro de Mrs. Hunt; o selo refere-se à colecção de selos dos Lair; o garfo e a faca são os objectos de marfim de Mr. Bliss; o leão tem de ser a estatueta *Ming* ou *Tang* de Mr. Wang; o relógio de parede é o objecto que roubaram a Mr. Drake; e depois temos um colar, uma terrina, um globo terrestre e um violino que, ao que sabemos, ainda não foram roubados.

– Mas porque é que alguém havia de gravar dez objectos no resguardo de madeira da sala do coro?

– Achas que o fizeram há pouco tempo?

– Não. Tenho a certeza de que os desenhos já ali estão há muitos anos. Quase não se viam, pois tinham exactamente a mesma cor do resto da madeira.

Maria, absorta nos seus pensamentos, ia escrevinhando apontamentos no seu livrinho.

– Então? – interrompeu-a o primo. – Descobriste alguma coisa?

– Uhmm... Mas... Que estranho! – exclamou ela, excitadíssima com algo que acabara de compreender. – Como é que não vimos isto antes?

– O quê? – perguntaram os outros.

– Vejam: reparei que alguns dos nomes dos nossos vizinhos coincidem com palavras evidenciadas na cantilena!

– Não acredito! – exclamou André.

– Em primeiro lugar, temos o nome de Mrs. Hunt, que significa *caçar*. Depois temos o nome grego Angelopoulos, que deve referir-se ao *anjo* da cantilena. A seguir encontrei Price, que é o *preço* do último verso...

– E *chão* tem a ver com campo, ou seja, pode ter a ver com Mr. Fields! – sugeriu Ana.

– E o nome Sbarra coincide com a palavra *grades*, em italiano! E Merle é *melro* em francês! – lembrou André.

– Boa! – disse Maria, entusiasmada, acabando de encontrar outra coincidência. – E pato, para além de *duck*, também pode ser Drake!

– Uhmm… – murmurou a irmã, lendo de novo a cantilena no livro da irmã e sublinhando algumas palavras. – Mas não temos nenhum apelido que tenha a ver com a palavra *covil*, ou um nome que esteja relacionado com a palavra *reis*, ou a palavra *felicidade*…

> *No* ***covil*** *iniciará o combate do Leão*
> *Que sem temor pisará agreste e bravio* **chão**.
> *As* **grades** *terá de abrir para o* **melro** *rapinar,*
> *o* **anjo** *irá perseguir e o* **pato** *há-de* **caçar**.
> *Os demais* ***reis*** *na verdade não terão onde reinar.*
> *Para ter* ***felicidade****, alto* **preço** *há que pagar…*

– Ou seja – concluiu André – para usar a analogia de Mrs. Hunt, temos uma coincidência de apenas setenta por cento.

– Setenta por cento, ou não – disse Maria – é óbvio que a cantilena se refere aos nomes dos nossos vizinhos e que tem a ver com os *objectos-leão*. Mas quem é que a terá feito?

– E para quê? – perguntou Ana. – Não temos motivo…

– O motivo deve ser vingança – apostou André. – Só pode ser, a julgar pelo tom e conteúdo da cantilena. E o instigador é o tal Leão que *sem temor* já conseguiu obter uma série de objectos destas pessoas!

– Mas nós não temos nenhum vizinho chamado Leão…

– Seja como for, querem apostar que a próxima coisa a ser roubada aos nossos vizinhos vai fazer parte desta lista?

– Só faltam quatro objectos… – disse Maria.

– E quatro vizinhos...

– E este tal Angelopoulos, que ainda não conhecemos? Terá alguma coisa a ver com tudo isto? – quis saber Ana.

– Talvez o encontremos esta noite na peça *As Dez Figuras Negras*, para a qual todos nós recebemos aquele convite misterioso. Quem sabe se a peça não nos ajuda a compreender qualquer coisa – interveio Maria, esperançada. – Afinal de contas, também se referia a dez pessoas, todas elas ligadas entre si por razões desconhecidas...

– Nesse caso, o culpado tem de ser uma delas – lembrou a irmã. – Tal como acontecia na peça de Agatha Christie.

* * *

À noite, na peça *And Then There Were None*, encontraram por fim, todos os vizinhos. Foi Mrs. Hunt quem lhes apresentou Mr. Angelopoulos, um homem alto, de cabelo grisalho, muito bronzeado, de olhos azuis e com um fato azul-escuro, muito elegante. Como lhes explicou, acabara de regressar de Atenas, mas, apesar do cansaço, não pôde recusar-se a assistir à peça da sua escritora de mistério preferida.

Era muito jovial, mas via-se que estava habituado a tratar de negócios porque resumia as suas frases ao estritamente necessário.

Faltavam poucos minutos para o início do espectáculo e como Mr. Fields bocejasse ininterruptamente, Mr. Angelopoulos, sentado a seu lado e atrás dos primos, decidiu perguntar-lhe se andava a dormir pouco.

– *Not at all*! – respondeu o homem, contendo um novo bocejo. – Até dormi a sesta de tarde, imagine! Tomei chá com os Lair às seis e depois, quando regressei a casa, deitei-me no sofá a ler um pouco antes de jantar, mas fiquei com tanto sono que resolvi dormitar um pouco. A sorte foi terem-me telefonado por volta das sete e meia, de outra forma não me teria levantado para vir ao teatro. Sinceramente, não sei o que se passa comigo hoje. Até costumo dormir pouco. E o que me diz desta história dos roubos?

– Digo-lhe que não é nada que não se resolva com um bom alarme! – exclamou o outro, seguro de si. – Um bom alarme e portas e janelas sempre fechadas!

– Pois imagine que eu, por acaso, até durmo com as janelas sempre abertas! – gabou-se Mr. Fields. – Mas não sei se a sua receita funciona. Pelo que ouvi, o ladrão devia ter as chaves das vítimas, porque não houve sinais de arrombamento. E nesse aspecto, meu caro, não existe ninguém mais cuidadoso do que eu. Nunca me separo do meu maço de chaves, tenho-o sempre no bolso das calças e à noite deixo as chaves giradas na fechadura da porta.

– Quais chaves, qual carapuça! Um alarme, digo-lho eu! Um alarme! – respondeu Mr. Angelopoulos, fazendo um gesto de desprezo com a mão e pegando nos binóculos à sua frente para observar os pormenores do palco.

Maria anotou os pormenores do que tinha ouvido no seu bloco de notas. Talvez fossem importantes e servissem para os ajudar a revelar o estranho caso.

À frente dos jovens, Mr. Drake, sentado à direita de Miss Merle, lamentava-se do roubo do seu relógio de parede:

– Era uma herança da minha mãe, de quem eu gostava muito e que faleceu há pouco tempo – explicou, desconsolado. – Lembro-me de o ouvir tocar desde pequeno, na sala de jantar, por cima do aparador. Fiquei tão triste com a notícia que quando regressei a casa, esta tarde, parecia-me que ainda o ouvia…

Miss Merle parecia menos interessada na sua desgraça do que no estado de limpeza das mãos do vizinho:

– Mr. Drake, deve-se ter sujado em qualquer lado. Tem algo escuro e vermelho na ponta dos dedos…

– Como? Oh, sim… – exclamou Mr. Drake, tomado de surpresa. – Tem razão. São as chaves… Não sei onde se sujaram, mas cada vez que pego nelas fico sempre com estes bocadinhos de…

– Deixe ver – pediu André, intrometendo-se.

Mr. Drake entregou-lhe as chaves que retirara do bolso, não sem antes lhe fazer notar, com uma troca de olhares muito explícita, que não era muito educado estar a ouvir a conversa das outras pessoas.

– Uhmm... – murmurou André, mostrando as chaves às primas. – Parece... plasticina!

Os primos preferiram não partilhar a informação com nenhum dos vizinhos e mantiveram-se em silêncio.

Mrs. Lair, sentada à direita do marido que, por sua vez, ocupava o lugar adjacente a Mr. Drake, estava também a ouvir a conversa, embora de forma bastante mais subtil.

Quando os vizinhos pararam de falar, decidiu fazer-se ouvir, queixando-se, como de costume, do estado de saúde de Mr. Lair.

Desta vez, porém, para espanto dos jovens, o marido parecia dar-lhe razão.

– *You know, darling? Perhaps you are right*. Talvez precise mesmo de ir ao médico. Realmente há certas coisas que não andam muito bem e isto dos assaltos tem-me preocupado muito. Talvez não fosse má ideia procurar a ajuda de um profissional. O relógio que Mr. Drake mencionou há pouco...

– Sim? – perguntou a mulher, preocupada com o que lhe parecia uma brusca mudança de tema.

– Lembro-me bem dele porque o ouvia bater as horas quando estava em casa e... Bem, a verdade é que também eu tenho a sensação de continuar a ouvi-lo...

– *Oh dear*! – murmurou Mrs. Lair, como se de repente os seus piores temores se tivessem tornado realidade.

* * *

A peça foi excelente e extremamente aplaudida no final. Os primos adoraram-na e discutiram os pormenores durante todo o trajecto a caminho de casa. A história era a que já conheciam, mas infelizmente, à primeira vista, não lhes fornecera nenhuma pista importante que pudesse ajudá-los, como esperavam.

Assim que o grupo de vizinhos se aproximou do prédio, a primeira coisa em que todos repararam foi no alarme do Colégio de Optometristas que estava de novo a tocar.

– Só nos faltava esta! – gritou Mr. Bliss, que se mantivera em silêncio durante todo o tempo e que ainda não se refizera da perda dos seus garfos e facas de marfim.

Mr. Angelopoulos, que vinha mais atrás, foi tomado de surpresa e correu a abrir a porta do número 10. Miss Price, todavia, captou de imediato a sua preocupação e correu a tranquilizá-lo, explicando-lhe que não se tratava do seu alarme, mas do alarme do prédio da frente.

– Esta situação está a tornar-se insuportável! – explodiu Mrs. Lair, vociferando indignada e interrompendo a conversa.. – Um destes dias…

Pegou então no braço do marido e despediu-se bruscamente.

Os restantes inquilinos seguiram-lhe o exemplo e assim o *hall* de entrada voltou a esvaziar-se para dar lugar a mais uma noite pouco tranquila e repleta de segredos no número 10 de *Craven Street.*

* * *

No dia seguinte, de manhã cedo, os primos encontraram os Lair e Mrs. Hunt à entrada do prédio. Mrs. Hunt tinha um ar abatido, mas Mrs. Lair não perdeu tempo a dar-lhes as novidades:

– Quatro novos roubos! *Can you believe it*? – exclamou, com uma expressão facial que quase revelava contentamento. – Quatro! Todos de uma vez e com certeza ontem à noite, enquanto estávamos fora, a assistir à peça de teatro!

– Não pode ser! – disse Maria.

– Ah, pode, sim senhora! A jóia de Miss Merle, a terrina de prata de Miss Price, o violino de Mr. Fields e o globo terrestre de Mr. Angelopoulos!

Os primos olharam uns para os outros, mais surpreendidos por saberem que o alarme de Mr. Angelopoulos não conseguira evitar o roubo, do que ao ouvir o elenco dos objectos. E nem valia a pena perguntar se tinham alguma coisa a ver com leões, porque já sabiam que a resposta seria positiva.

– Ainda bem que não fui só eu a ficar sem a minha colecção de selos! – exclamou ela, voltando-se para Mrs. Hunt, com o mesmo tom de satisfação mal disfarçada.

«Hoje levantou-se com a corda toda», pensou André, vendo que a senhora não fazia intenção de se calar tão depressa.

– Afinal ainda há justiça no mundo! Mas é óbvio que este prédio não é seguro para ninguém. Demasiados assaltos! O meu marido e eu estivemos a falar esta manhã e... resolvemos que o melhor é irmos embora. Espero que compreenda. Bem sei que devíamos dar-lhe um aviso de um mês, mas... Sairemos no final da semana. Falei com uma amiga ao telefone e ela vai mostrar-nos outro apartamento ainda hoje. Preferimos perder um mês de renda do que arriscar mais tempo a viver num local inseguro como este.

Mrs. Hunt ouviu a vizinha, boquiaberta, sem dizer nada, e foi também sem nada dizer que viu os Lair saírem do prédio e afastarem-se na direcção da *Strand*.

– Eu não vos disse que se tratava de uma questão de tempo? – perguntou, dirigindo-se aos jovens. – Esta mulher é tremenda! Tão egoísta! Nunca há-de mudar.

Encolheu os ombros, pegou na sua correspondência e deu meia volta, preparando-se para regressar a casa. Porém, antes de desaparecer, fez um comentário final:

– De facto, deixou de ser *leão* para passar a ser a sua *toca*, o que prova que nem o nome mudou muito.

Ao ouvirem a palavras «leão» e «toca», os primos fixaram-na, estupefactos.

– Leão? – perguntou Maria. – Toca? Não estamos a perceber o que quer dizer com isso...

– Oh, sim... Desculpem, estava só a pensar alto – disse a senhora, voltando atrás.

O ar curioso e interrogativo dos jovens levou-a a justificar o comentário enigmático.

– Foi apenas uma observação. Queria dizer que as pessoas nunca mudam... Mrs. Lair foi sempre muito egoísta. Só uma pessoa egoísta poderia sentir-se melhor por saber que a sua desgraça é comum a outras pess...

– Sim, percebi essa parte – interrompeu a rapariga, impaciente. – O que não compreendi foi a parte do *leão* e da *toca*...

– Ah, sim... – disse a senhoria, desatenta. – Só disse isso porque o nome de solteira de Mrs. Lair era *Lion*...

Os olhos dos três jovens abriram-se de espanto, reacção que Mrs. Hunt não deixou de notar.

– Sim, *Lion*. E *lair* é um sinónimo de *den*.

Ao ouvir a palavra que reconheceram do primeiro verso da cantilena, os primos arregalaram ainda mais os olhos, numa expressão de estupefacção total.

– Não conhecem a expressão *The lion's den*? – insistiu ela, ao pensar que os jovens não tinham percebido. – Significa *covil do leão*. Foi por isso que disse que Mrs. Lair deixou de ser *leão* para passar a ser a sua *toca*, ou o seu *covil*, ou seja, queria dizer que não mudou nada.

E afastou-se, sem descobrir a que se devia tanta admiração estampada na cara dos jovens.

– Com que então Mrs. Lair era Miss Lion, antes de se casar? – disse André, assim que ficaram sozinhos. – Será que ela é filha do tal Mr. Lion a quem pertenceu o quadro roubado de Mrs. Hunt? Isso talvez explique muita coisa...

Ana suspirou, um pouco confusa.

– Que grande confusão! – desabafou, desmoralizada. – Tanto esforço e afinal não fomos a tempo. Roubaram os dez *objectos-leão* e nós não fomos capazes de os impedir!

Um sorriso enigmático apoderou-se do rosto jovem de Maria.

– Pois eu acho que embora não tivéssemos sido capazes de impedir os ladrões, ainda há qualquer coisa que podemos fazer para revelar quem são...

Ana e André olharam-na, curiosos.

– Não sei como é que não comecei a fazer analogias entre o nosso caso e a peça de Agatha Christie mais cedo – explicou ela, enquanto voltavam a subir no elevador para regressarem ao apartamento. – É óbvio que existe uma ligação muito forte entre as duas coisas. São coincidências a mais. Não fomos convidados para assistir às *Dez Figuras Negras* por acaso. E eu tenho quase a certeza de saber quem mandou os convites, não só para o teatro, mas também para o concerto…

– Quem? – perguntou Ana, em pulgas.

– Já vos digo. Primeiro quero verificar uma coisa na Internet e depois explico-vos a minha teoria.

Ana e André fizeram uma careta, mas resignaram-se.

Entraram em casa, dirigiram-se à sala e sentaram-se nas cadeiras em torno da mesa oval. Maria permaneceu de pé, enquanto ligava o computador.

– Lembram-se que um dos títulos originais da história de Agatha Christie se baseava numa velha canção americana chamada *Ten Little Soldiers*, não lembram? – perguntou ela, abrindo o livro que comprara na primeira página e mostrando-lhes os versos da cançoneta.

Os outros disseram que sim com a cabeça à medida que os liam.

– E também devem ter reparado, durante a peça, que na mesa da sala de jantar da mansão havia dez estatuetas negras de porcelana, que desapareciam misteriosamente, uma a uma, cada vez que morria algum dos convidados…

Os outros olharam-na, confusos.

– Sim. E então? – perguntou André.

– Pois essa é, para mim, a primeira analogia entre a peça e o nosso caso.

– Mas nós não temos nem homicídios, nem dez estatuetas negras a desaparecer… – objectou o primo.

– Não, mas temos dez *objectos-leão* a serem roubados a dez dos inquilinos do nosso prédio! E, tal como na história, todas estas pessoas estão relacionadas por uma razão que até agora não me era clara…

– E que razão é essa? – perguntou Ana.

– Acho que tem a ver com o segredo de Mrs. Hunt…

– O segredo de Mrs. Hunt?! – interpelou André, incrédulo. – Aquilo que nos contou era tudo menos um segredo! E além disso, não vejo como é que possa ter alguma coisa a ver com a peça.

– Pois aí é que está a questão. Acho que Mrs. Hunt não nos contou o seu *verdadeiro segredo*… Não digo que o que nos contou não fosse verdade, antes pelo contrário, até acabou por ajudar-nos imenso, dando-nos uma indicação preciosa sobre quem está por trás de tudo isto, mas estou convencida de que não nos contou *tudo*.

Fez-se silêncio entre os três. Ana e André estavam mortos de curiosidade para saber o fim das conclusões de Maria, mas sabiam que esta os faria sofrer um pouco antes de as revelar por completo.

– Uhmm… E que outras analogias é que encontraste? – perguntou André.

– Por exemplo, o facto de todas as personagens da peça receberem um convite estranho para irem para a ilha. Julgo que os nossos vizinhos também não vieram parar a *Craven Street* apenas por coincidência. Ou melhor, isso não aconteceu com todos eles.

– Realmente Mrs. Hunt disse que só no nosso caso e no de Mr. Bliss é que esteve envolvida uma agência imobiliária no aluguer dos apartamentos – lembrou Ana. – De resto todos os outros vieram através de passa-palavra. Não será difícil investigar e descobrir qual é o elo de ligação, basta falar com cada um deles.

– Sim, é uma das coisas que teremos de descobrir. André, talvez possas encarregar-te tu disso?

O primo acenou, em sinal de acordo, e depois perguntou:

– E quanto ao motivo? Achas que o motivo que levou o criminoso da história de Agatha Christie a juntar as dez pessoas naquela mansão é o mesmo que levou o nosso a reunir os dez vizinhos em *Craven Street*? Ou seja… vingança?

– Tendo em atenção o teor da carta que encontrámos escondida atrás do quadro partido, diria mesmo que sim!

– Mas vingança em relação a quê? – perguntou Ana. – Na história, todas as personagens tinham cometido um crime que permanecera secreto até à primeira noite na ilha, quando o misterioso anfitrião o revelou através da mensagem que deixara gravada no gramofone. Mas no nosso caso, que motivo teria alguém para se vingar destes dez?

– Essa é outra das analogias... – explicou Maria, lentamente, enquanto lia algo no ecrã do computador. – Aha! Aqui está o que procurava! Uhmm... Eu bem sabia!

– Então? O que é procuravas? E qual é o motivo da vingança?

– Julgo que, no nosso caso, se trate também de crimes cometidos no passado, mas relacionados com os tais *objectos-leão*!

– Com os *objectos-leão*? – perguntou André, cada vez mais confuso. – Não estou a perceber nada...

– Na cantilena da carta que encontrámos, era um leão o autor da vingança... – lembrou Ana, tentando seguir o raciocínio de Maria. – Achas então que é Mrs. Lair quem está por trás de tudo isto?

– Sim... tenho a certeza que é ela.

– Mas porquê? Porque é que havia de roubar os vizinhos? – insistiu o primo.

– Bem... – disse Maria, com muito suspense, como quem se apresta a apresentar a revelação final. – Não passa de deduções... Não tenho quaisquer provas... Mas... Sabem, tenho pensado muito em tudo isto e...

«Tudo começou com o problema dos quadros: primeiro, foram os quadros estranhamente tortos, nas paredes; em seguida, o quadro que se partiu e que nos revelou a carta e o panfleto; e por fim, o quadro roubado de Mrs. Hunt. Eram tantos quadros! Foi graças a eles e às notas que fui escrevendo no meu bloco de notas, que comecei a tecer a minha teoria...»

– E qual é? – explodiu André, impaciente. – Pode saber-se?

– Ok, ok! Aqui vai: acabei de confirmar na Internet que não só o quadro de Mrs. Hunt, mas também todos os outros *objectos-leão*, foram roubados ao tal Mr. Lion, a quem pertenciam originalmente!

O ar embasbacado de Ana e André era evidente.

– A sério?! – perguntaram em coro.

– Sim, encontrei uma notícia num jornal antigo que diz que foram todos roubados ao mesmo tempo. E, como podem calcular, isto significa que os detentores actuais, ou seja, os nossos vizinhos, os obtiveram de forma ilícita...

– Estou a ver... – disse Ana, fazendo a ligação. E é esse o crime que os liga entre eles e que confere o *motivo* de vingança ao culpado!

– Ah! – exclamou André, seguindo a lógica das primas. – Por isso é que as palavras sublinhadas na cantilena estão ligadas aos nomes dos dez inquilinos de *Craven Street*! Porque a vingança do leão era contra eles! Mas... ainda não encontrámos correspondência entre as palavras «reis» e «felicidade» e o nome dos outros nossos vizinhos...

– Não é bem assim... – corrigiu Maria. – Ontem, enquanto estava a ver um programa na televisão, aprendi uma palavra nova que é sinónimo de «felicidade».

– E qual é?

– *Bliss*...

– Mr. Bliss! Então só falta relacionar a palavra «reis» com o último inquilino. E como só sobrou Wang... – disse Ana, procurando a resposta na Internet. – Bingo! Cá está! Wang é sinónimo de *rei*, em chinês...

– Excelente! Ora como Mr. Lion morreu em 1960, não pode ser ele o culpado... Mas tenho a certeza de que era o pai de Mrs. Lair... Portanto, a culpada por trás de tudo tem de ser ela! – concluiu Maria. – Deve andar a recuperar os objectos roubados ao pai.

– Incrível! – exclamou André, perplexo, estudando o caso com outros olhos. – Uhmm... Realmente tens tido uns pressentimentos muito estranhos desde que tudo isto começou... Se calhar tens razão!

Maria sorriu, orgulhosa. Desta vez tinha sido ela quem se aproximara mais da verdade. Mas teria, realmente, razão?

– Sabem que muitos objectos roubados nunca chegam a ser recuperados e que a maior parte deles é vendida nas primeiras quarenta e oito horas a seguir ao roubo? – inquiriu ela, continuando a sua explicação. – Pois a minha teoria é que as famílias dos nossos vizinhos conseguiram comprar ilegalmente os objectos roubados a Mr. Lion, guardando segredo até hoje...

– Então deve ser esse o *verdadeiro segredo* de Mrs. Hunt!

– Também acho! Ela deve ter descoberto o crime dos familiares a certa altura mas, sendo uma pessoa bastante correcta, nunca deve ter aceite muito bem a situação.

– Pois, mas por outro lado – interrompeu André – também nunca fez nada para a corrigir... Podia ter devolvido o quadro ao seu proprietário original!

– Penso que não saiba de quem se trata – disse Maria. – Quando começou as investigações dela, esteve perto de descobrir a verdade, mas não conseguiu. Talvez tenha sido por isso que decidiu passar a investigação para nós, quando me conheceu.

Novo silêncio. André lembrou-se então de um pormenor:

– E eu que pensava que o culpado de tudo era Mr. Wang. Segundo a tua teoria, ele não tem nada a ver com os roubos. Mas, sendo assim... – interrogou-se. – Qual é a explicação para a sua fuga do concerto, para os murros que me deu e as ameaças que me fez e para a rixa em *China Town* com o outro chinês?

– A rixa? – perguntou Ana, pensativa. – Ah... Mas é claro! É isso mesmo!

Era agora Maria quem se sentia a leste do paraíso.

– De que estás a falar?

– Noutro dia, quando vimos Mr. Bliss à porta da *Scotland Yard*, pareceu-me reconhecer um dos polícias que o acompanhava. Assim que o André mencionou a rixa de *China Town*, lembrei-me de que era o polícia que apareceu no carro-patrulha.

– E então?

– Então não penso que se trate de uma coincidência. Não se esqueçam que, por um lado, Mr. Bliss é polícia e, por outro, Wang tem ligações com a Máfia de Londres.

– Isto, se acreditarmos naquilo que nos disse Mrs. Lair, que não é propriamente uma fonte fidedigna... – recordou a irmã.

– Que estúpido que sou! – exclamou André. – A Ana tem razão. Agora tudo faz sentido!

Maria começou a pensar que os dois estivessem a fazer de propósito, revelando pormenores a conta-gotas para se vingarem dela.

– Vá lá... De que é que *tu* te lembraste?

– Na noite em que o vagabundo me salvou de Wang, tive a impressão de o reconhecer de qualquer parte, mas não conseguia lembrar-me de onde. E agora, quando a Ana falou de Mr. Bliss, tive a mesma sensação. Trata-se dos mesmos olhos, da mesma cara e da mesma forma de caminhar. Mr. Bliss e o vagabundo são a mesma pessoa! Bliss deve andar a perseguir Wang por algo relativo à Máfia londrina!

– Isso explica a razão por que Mr. Bliss não apareceu no concerto – deduziu Ana. – Ou melhor, apareceu, mas disfarçado. E explica também porque desapareceu a meio e apareceu de repente em *China Town*, mesmo a tempo de te salvar de Wang!

– Boa! – exclamou Maria. – Estamos cada vez mais perto da verdade. Agora temos a certeza de que Wang nada tem a ver com os roubos e que estava a ser perseguido por Mr. Bliss devido a outras coisas.

– Fica também explicada a razão pela qual Mr. Bliss não chegou a *Craven Street* através da agência imobiliária – lembrou Ana. – É óbvio que veio para aqui para seguir Wang.

– E explica-se igualmente por que motivo tinha ouvido falar no roubo do quadro de Mrs. Hunt! – disse André. – Era por ser polícia, de outra forma não podia recordar-se dele, pois ocorrera em 1943, quando ainda não tinha nascido.

Um enorme sentimento de euforia invadiu os três jovens. O exercício dedutivo que tinham acabado de realizar mostrara-se bastante frutuoso. Embora não pudessem provar nada, não podiam evitar sentir-se orgulhosos.

– Maria, disseste que os roubos se deram todos ao mesmo tempo? – quis saber André, voltando ao tema inicial.

– Sim, o artigo diz que se deram precisamente no dia 17 de Novembro de 1943. Eu tenho quase a certeza que ocorreram de noite, enquanto Mr. Lion assistia à peça de Agatha Christie e a sua casa se encontrava deserta!

– Então foi por isso que os roubos, no nosso caso, se concluíram com a peça *And Then There Were None*... – epilogou Ana. – Foi uma espécie de vingança final.

–Uhmm... Sabes que mais, Maria? – disse André, num tom desiludido e ainda estupefacto com tudo o que acabara de ouvir. – Tinhas razão... Nunca conseguiremos provar nada disto!

Maria, porém, levantou-se da cadeira onde entretanto se sentara, aproximou-se da janela e sorriu com ar matreiro. Depois voltou-se para Ana e André e finalmente disse:

– Tenho um plano...

A sua voz era tão estranha que a irmã e o primo voltaram o rosto ao mesmo tempo na sua direcção.

– Um plano? Que plano?... – perguntou Ana, a medo.

Maria aproximou-se deles e debruçou-se, colocando ambas as mãos na mesa e dizendo, peremptória:

– Estava a pensar em convidar os nossos vizinhos para uma sessão de espiritismo!

– O quê?! – perguntaram os outros, boquiabertos.

– Mas sem dar nas vistas, claro! Como se nada tivesse a ver com os roubos. Podemos dizer-lhes que gostaríamos de organizar uma actividade engraçada, algo que nos permita viver uma *verdadeira experiência inglesa* enquanto estamos aqui em Londres! Que tal?

André fixou a prima, achando que ela tinha acabado de perder a cabeça. Franziu o sobrolho e por fim perguntou-lhe:

– Por acaso estás a falar de uma daquelas sessões em que várias pessoas se sentam à volta de uma mesa, constroem um círculo com as letras do alfabeto, os números de um a dez, as palavras *Sim* e *Não* e usam um copo com pé de vidro que se move sozinho em várias direcções, construindo palavras que correspondem às respostas dadas pelos espíritos *supostamente* presentes na sala?

– Uhumm… – respondeu ela, sorridente. – Estás muito bem informado. É exactamente assim que funciona. Contudo, enganas-te num pormenor: o copo, na realidade, não se move sozinho. Bem sei que a intenção é essa, ou seja, dar a entender que se move a mando do espírito presente. Mas o facto é que cada participante apoia o indicador, ao de leve, no pé do copo virado de pernas para o ar.

– Seja como for, afinal de contas, para que servirá a sessão de espiritismo?!

– Ora essa! Serve para fazer com que Mrs. Lair confesse tudo! Bem sei que há ainda uma série de coisas que temos de investigar, mas assim que descobrirmos a resposta para estas nossas dúvidas, podemos assustar Mrs. Lair mostrando-lhe que sabemos o que tem andado a fazer. E uma vez assustada, tenho a certeza de que confessará tudo!

Ana e André olharam um para o outro. Não pareciam muito convencidos.

– Segundo o que li numa revista – prosseguiu a rapariga – não é difícil falsificar uma sessão de espiritismo. Basta que uma ou duas pessoas se ponham de acordo em relação às respostas a dar e depois empurrem subtilmente o copo na direcção das letras necessárias para formarem as palavras que querem ouvir, fingindo que o movimento se deve ao espírito invocado. As outras pessoas não dão conta de nada.

– Uhmm… – murmuraram Ana e André, começando a perceber onde Maria queria chegar.

– Vai ser difícil… – duvidou o primo. – Mrs. Lair tem álibis indestrutíveis! Esteve sempre connosco no momento em que roubavam os *objectos-leão* aos vizinhos! A não ser que tenha um cúmplice…

– O que não é uma ideia a pôr de parte… – insinuou Maria. – Temos de esboçar o plano de ataque. Ainda nos falta descobrir uma série de coisas… Por exemplo, não percebo porque é que o alarme de Mr. Angelopoulos não tocou quando entraram em sua casa!

– Se calhar até tocou – disse André. – Lembras-te que quando chegámos do teatro ele correu para a porta do prédio, convencido de que era o seu alarme que estava a tocar?

– Sim! – exclamou Ana. – Mas Miss Price disse-lhe para não se preocupar, que se tratava apenas do alarme do prédio da frente.

– Acham que o alarme dele foi abafado pelo alarme do Colégio de Optometristas? – perguntou Maria.

– Quem sabe? Se calhar o facto de este último tocar tantas vezes não será uma simples coincidência! – propôs a irmã. – Deve haver uma explicação para isso!

Maria pegou no seu livrinho de notas e enunciou:

– Ok, então mãos à obra! André, tu ficas encarregado de ir falar com os nossos vizinhos para saber como cada um deles veio aqui parar. Ana, tu podias ir investigar as razões por trás do problema do alarme, aqui em frente, no colégio. Podes aproveitar para lhes perguntar se por acaso conhecem Mrs. Lair. Descreve-a, pois não a devem conhecer de nome.

– E tu? – perguntou o primo.

– Eu? Em primeiro lugar vou organizar uma sessão de espiritismo para hoje, à meia noite. Depois vou à procura do cúmplice de Mrs. Lair…

– *Vais*, não! – corrigiram os outros dois ao mesmo tempo. – *Vamos*! Ou já te esqueceste do nosso acordo?

IX

A SESSÃO DE ESPIRITISMO

O plano cumpriu-se de forma perfeita.

André conseguiu falar com todos os vizinhos do número 10 de *Craven Street*, fosse pessoalmente ou por telefone e, graças aos seus dotes persuasivos e à sua simpatia natural, descobriu que todos eles tinham ido ali parar por razões muito bem definidas e ligadas a uma tal Ms. Elisabeth que cada um descrevera com traços diferentes. Obviamente, só havia duas hipóteses: ou se tratava realmente de várias pessoas, ou todos tinham descrito uma única mulher, que usara um nome falso e se disfarçara para que não a reconhecessem. Lembrando-se que Mrs. Lair era actriz, André optou pela segunda hipótese.

Enquanto isso, Ana dedicou-se à sua parte na investigação. Assim que entrou no Colégio de Optometristas, foi muito bem recebida pelo responsável que se desculpou mil vezes pelo distúrbio causado pelo alarme e também pela desorganização visível, devida às obras de remodelação interna que estavam a ter lugar no edifício. Mr. David apressou-se a responder a todas as suas perguntas com a maior simpatia.

Ana estava perplexa com o que ouviu. Não só ficou a saber que a causa para o disparar constante do alarme eram os fortes vapores emitidos pelas tintas especiais usadas para pintar as paredes, como descobriu também que quem recomendara a sua utilização fora uma senhora chamada Elisabeth... que correspondia exactamente à descrição física de Mrs. Lair.

Maria, por seu lado, conseguiu convencer os embaixadores Torres a deixarem-nos organizar a sessão de espiritismo em sua casa. Deparou-se, porém, com alguma dificuldade em convencer os vizinhos a comparecer. Embora a maior parte deles, sobretudo os mais jovens, tivesse acedido de imediato, achando graça à iniciativa, não foi fácil persuadir pessoas como Mr. Fields ou Mrs. Lair a tomar parte no evento, uma vez que ambos achavam pouco sensato brincar com invocações de espíritos. Contudo, no fim lá aceitaram.

Quando os primos voltaram a reunir-se, uma hora mais tarde, contaram uns aos outros o que tinham descoberto.

– Agora só falta decidirmos a melhor forma de abordar o cúmplice de Mrs. Lair... – disse Maria.

* * *

Faltavam apenas vinte minutos para a meia-noite e todos os vizinhos presentes tinham já ocupado os lugares que os primos lhes tinham indicado à volta da mesa.

A atmosfera criada pelos jovens dentro da sala era bastante sugestiva e aproximava-se muito daquilo que todos eles imaginavam fosse o recinto ideal para uma sessão de espiritismo. A luz da sala limitava-se ao candeeiro principal, cuja luminosidade tinha sido reduzida, à claridade difusa das lâmpadas de três *abat-jours* e às velas dispersas pelos cantos da sala.

A mesa oval tinha sido colocada no centro do aposento com as cadeiras necessárias à sua volta. Pequenos quadrados de cartolina, com as letras do alfabeto e os números de um a dez, tinham sido recortados e dispostos em elipse, no tampo da mesa. A meio, dois quadrados com as letras *S* e *N* tinham sido colocados nos extremos da elipse, servindo para as respostas mais simples e imediatas dos espíritos invocados, ou seja, *Sim* e *Não*. No centro da mesma, encontrava-se um copo de vidro, com pé.

Mr. e Mrs. Lair foram os últimos a chegar e Maria apressou-se a indicar-lhes os lugares que deveriam ocupar à mesa.

A jovem explicou as regras aos participantes quando faltavam apenas dez minutos para a meia-noite:

– Alguém já participou numa sessão de espiritismo antes? – perguntou.

Uma série de «nãos» responderam à sua pergunta.

«Ainda bem!», pensou Maria. «Quanto mais surpresas, melhor!»

– Bom, é muito simples – começou por dizer, pegando no copo de vidro e colocando-o de fundo para o ar, no centro da elipse. – Cada um de nós terá de colocar o indicador direito no bordo do pé deste copo. Basta tocar nele muito ao de leve, pois não é suposto empurrarem o copo. Estas letras e números servem para percebermos o que o espírito invocado nos quer comunicar. É claro que o silêncio é essencial, apenas eu poderei comunicar com os espíritos pois tenho o papel de *medium*. E seria preferível que todos fechassem os olhos no início da sessão, para melhor absorverem o espírito da mesma.

– Absorver o espírito?! – assustou-se Mrs. Lair. – Mas não era suposto ser tudo a fingir? Não me digam que corremos o risco de sermos possuídos por um espírito que nos entra no corpo?

Os risinhos dos restantes convidados teriam bastado para responder à sua pergunta, pois era óbvio que nenhum deles estava a pensar levar a sessão muito a sério. Contudo, Maria preferiu esclarecer a senhora:

A B C D E F
S
N
0 1 2 3 4 5

– Quando disse *espírito*, referia-me, na verdade, ao ambiente circunspecto do evento...

– Podemos começar? – perguntou Mr. Angelopoulos, divertido, colocando o seu indicador no bordo do copo invertido. – Que espírito é que invocamos primeiro?

Os primos trocaram olhares e Maria respondeu:

– Tínhamos pensado invocar o espírito do proprietário deste edifício, visto que esta sala lhe pertenceu no passado e é provável que se encontre aqui perto.

Mrs. Lair pareceu sobressaltar-se, mas depressa disfarçou com uma tossidela rápida.

Os participantes esticaram os braços na direcção do centro da mesa e apoiaram os indicadores ao de leve, no bordo do copo. Os seus olhos fecharam-se, dois a dois, até que apenas os dos primos permaneceram semiabertos.

Maria exclamou, numa voz baixa e grave:

– Damos início à nossa sessão de espiritismo, invocando os espíritos da casa a participar connosco e respondendo às nossas perguntas...

A princípio, nada aconteceu. O copo manteve-se imóvel, no centro da elipse e não se discerniu qualquer manifestação que anunciasse a presença de espíritos do outro mundo.

– Pedimos-te, com toda a nossa energia, que apareças diante de nós e nos tornes dignos da tua presença! – insistiu a rapariga, observando, com atenção, os trejeitos e reacções de cada participante.

De repente, como se movido por uma energia oculta, o copo começou a girar em círculos pequenos, no meio da elipse, muito lentamente.

Os primos notaram que alguns participantes não foram capazes de evitar os arrepios que a surpresa lhes causara. Nenhum deles estava à espera daquilo.

Miss Merle e Miss Price sorriam, magnetizadas, enquanto Mr. Bliss, Mr. Drake, Mr. Lair e o grego Angelopoulos franziam o sobrolho, perplexos. Mrs. Sbarra, Mrs. Hunt, Mr. Wang e Mr. Fields pareciam estar a levar a sessão demasiado a sério, e apenas Mrs. Lair se esforçava por mostrar-se totalmente impassível. Os embaixadores, como os primos tinham imaginado, observavam a cena com um olho fechado e um aberto, divertidos com a encenação dos três jovens.

Passaram-se alguns minutos e os círculos tornavam-se cada vez maiores e os movimentos mais rápidos.

Maria resolveu iniciar as perguntas directas ao espírito que, obviamente, já se encontrava presente.

– Como se chama?

O «espírito» respondeu empurrando o copo de vidro na direcção de quatro letras: L-I-O-N.

Mrs. Lair estremeceu visivelmente e disse, amedrontada:

– Não me estou a sentir muito bem... Talvez seja melhor abandonar a sessão e regressar a ca...

– Chhhhh! – interrompeu-a André.

– Não se preocupe, vai correr tudo bem. Esteja calma – sussurrou Maria e então prosseguiu com a questão seguinte: – É homem?

A resposta foi um movimento brusco na direcção do *S* central e os círculos prosseguiam, ininterruptos e velozes.

– Mr. Lion... Era o proprietário deste prédio?

Um novo *Sim*.

– Quer falar directamente com algum dos participantes?

A pergunta amedrontou ainda mais Mrs. Lair que se preparava para reiterar o seu propósito de abandonar a sessão, mas a resposta do «espírito» de Mr. Lion chegou a tempo de a acalmar: *Não*.

– Tem filhos?

Sim.

– Ainda são vivos?

Sim.

– Quantos?

Dois.

– São homens?

Não.

– Mr. Lion, o senhor era rico?

O espírito hesitou e o copo desenhou dois círculos rápidos, deslocando-se primeiro em direcção ao *S* e em seguida ao *N*.

– Estou a perceber… – murmurou Maria. – Quer dizer que era rico e depois deixou de o ser?

Sim.

– E como foi que isso aconteceu? Por acaso roubaram-lhe as suas riquezas?

Sim.

– Todas ao mesmo tempo?

Sim.

– E eram muitas? Quantas eram?

Dez.

– Tratava-se, então, de dez objectos?

Sim.

Ana, Maria e André trocaram um sorrisinho subtil. A sessão estava a correr muito bem e precisamente como tinham imaginado. O que nunca tinham pensado foi que conseguissem controlar os movimentos do copo de vidro tão bem. Tinham feito um teste durante a tarde, mas eram apenas três e não dezasseis os dedos apoiados no pé de vidro.

Maria passou a uma das questões principais:

– Por acaso… Conhece as pessoas que hoje os possuem?

Sim.

– Estão presentes nesta sala?

Sim.

Desta vez os arrepios propagaram-se a quase todos os vizinhos. Os sorrisos desapareceram dos rostos de Miss Merle e de Miss Price, e as testas de Mr. Bliss, Mr. Drake, Mr. Lair e Mr. Angelopoulos enrugaram-se ainda mais do que antes. Mrs. Hunt, Mr. Fields e Mr. Wang estavam totalmente aterrados.

Só Mrs. Sbarra e Mrs. Lair pareciam não ter sido afectadas pela resposta, embora continuassem surpreendidas com os resultados da sessão.

– Por favor, indique-nos as pessoas a quem se refere – pediu Maria ao «espírito» de Mr. Lion.

Desta feita, em vez de responder com um *Sim* ou um *Não*, ou de construir palavras com as letras disponíveis, o espírito moveu o copo na direcção de dez pessoas diferentes, deixando de fora apenas os embaixadores, os primos e Mrs. Lair.

As faces dos acusados empalideceram visivelmente, mas o rosto de Mrs. Lair, por outro lado, adquiriu um vermelho vitorioso, revelando um sorriso quase imperceptível.

«Para quem não acreditava em espíritos, os nossos convidados estão a levar a sessão muito a sério!», pensou Maria consigo mesma. «Ainda bem, faz tudo parte do nosso plano!»

– O que foi que lhe roubaram, exactamente? – perguntou a jovem ao espírito.

O copo de vidro apressou-se a construir uma série de palavras, muito rapidamente e Maria escreveu-as no seu bloco de notas. Embora não fosse necessário, pois todos os presentes tinham percebido a que objectos se referia o espírito de Mr. Lion, a jovem resolveu ler as respostas em voz alta:

– Um quadro, uma jóia, uma bíblia, uma colecção de selos, garfos e facas de marfim, uma terrina de prata, um globo terrestre, uma estatueta asiática, um violino e... um relógio de parede.

Nesse momento, as badaladas de um relógio ouviram-se à distância. Tratava-se apenas do *Big Ben*, mas a coincidência serviu para intimidar Mr. Drake que, juntamente com os restantes culpados, tirou o dedo do copo de vidro e se levantou de repente.

– Isto é um disparate. Não gosto destas coisas de espíritos. O melhor é abandonarmos a sessão.

– *Just a moment*! – exclamou Mrs. Hunt. – Creio que chegou a altura de contarmos a verdade sobre esta história. Todos temos o direito de a saber.

Mrs. Sbarra parecia confusa.

– Verdade? Que verdade? E de que bíblia é que o espírito estava a falar? Espero que não seja da minha! Não a roubei a ninguém!

– A senhora, talvez não – interrompeu Mrs. Lair. – Mas a família do seu marido, sim!

Um burburinho inaudito apoderou-se do ambiente tranquilo que até ali tinha reinado na sala.

O embaixador Hugo Torres, desconfiando que toda aquela cena tinha sido montada pelas filhas e por André para desvendarem o final de mais um dos seus mistérios, resolveu dar-lhes uma ajuda e exclamou:

– Por favor, meus senhores! Sentem-se e mantenham-se calmos! Julgo que merecemos uma explicação.

– Dou-vos eu a explicação! – gritou Mrs. Lair, enfurecida, dando um murro na mesa e levantando-se enquanto os outros se voltavam a sentar.

Os primos estavam boquiabertos. Teria chegado o momento pelo qual tanto ansiavam? Estaria Mrs. Lair pronta a confessar tudo? Depressa saberiam a resposta.

A senhora tinha agora uma face extremamente vermelha, já não de vitória, mas de pura raiva. As supostas revelações do espírito de seu pai, relativas aos roubos originais dos objectos da família Lion, tinham-na provocado ao ponto de a irritar, mas seriam suficientes para levá-la a confessar os seus próprios, e muito mais recentes roubos?

– É tudo verdade! As famílias destas dez pessoas, ou seja, dos *nossos* vizinhos, adquiriram, no mercado negro e ilegalmente, os dez objectos valiosíssimos que tinham acabado de ser roubados a Mr. Lion, no ano de 1943, enquanto este assistia a uma peça de teatro. Sabiam que estavam a cometer um crime, mas não se importaram com isso e mantiveram segredo até hoje.

«Nenhum deles pensou nos problemas que tal acção causaria ao legítimo proprietário dos objectos roubados! Mr. Lion construíra a sua colecção de objectos valiosos com muito esforço, durante toda a sua vida e utilizava-a como garantia bancária para os seus investimentos. Ao tomarem conhecimento do roubo, os bancos retiraram-lhe as garantias e ele foi obrigado a vender tudo aquilo que possuía para pagar as dívidas em que incorrera devido aos seus investimentos.

«A pedido de Mr. Lion, a notícia apareceu numa série de jornais, na época, referindo o roubo, descrevendo cada um dos dez objectos roubados em pormenor, mencionando que todos eles estavam relacionados com leões e fazendo notar a importância que os mesmos tinham para a situação económica do proprietário. Não obstante, nenhuma das famílias que os adquirira ilegalmente se importou com o facto e os Lion perderam tudo, incluindo este prédio».

A expressão dos inquilinos, tomados de surpresa, revelava a questão que os apoquentava a todos: quem era, na realidade, Mrs. Lair?

Mrs. Hunt, que sabia a resposta, ainda tentou dizer:

– Mrs. Lair é…

Mas foi interrompida pela vizinha que, voltando a dar um murro na mesa, gritou:

– Sou filha de Mr. Lion!

Os olhos de quase todos os presente fixaram, esbugalhados, Mrs. Lair, vermelha como um pimento.

Mr. Wang, que se mantivera em silêncio, decidiu intervir para relembrar um pormenor que todos pareciam estar a esquecer:

– Se Mrs. Lair é filha de Mr. Lion... Então foi ela quem nos roubou a todos!

O comentário fazia perfeito sentido e Mrs. Lair, ocupada a acusar os vizinhos do crime que as suas famílias tinham cometido em 1943, foi apanhada de surpresa com uma acusação muito mais recente e que, além disso, não tinha prescrito, como acontecia com os crimes dos outros.

– Não!!! – berrou, histérica, para se defender. – Não fui eu! Sabem disso perfeitamente! Estive sempre convosco no momento dos roubos. E além disso, também fui roubada! Ou já se esqueceram que a colecção de selos do meu marido também desapareceu?

Gerou-se então uma confusão enorme: cada convidado falava com o vizinho do lado, fazendo comentários, colocando questões a que ninguém sabia responder e atirando exclamações de pasmo para o ar. Era óbvio que as acusações feitas aos antepassados de cada um não os surpreendiam, pois cada um deles sempre tinha estado ao corrente da história. O que os surpreendia era saber que não eram os únicos naquela situação e que, para além do seu, outros nove objectos tinham sido roubados a Mr. Lion exactamente no mesmo dia.

– Mrs. Lair – disse Maria, interrompendo a algazarra. – Os seus álibis não são assim tão indestrutíveis como julga...

– Como? – perguntou a senhora, virando-se para ela. – O que queres dizer com isso? Vocês estavam comigo, sabem perfeitamente...

– Talvez seja melhor perguntarmos a verdade a outro Lion!

– sugeriu André, levantando-se da mesa e dirigindo-se até à porta da sala que se encontrava fechada.

– Outro Lion?! – exclamou Mrs. Lair, tomada de surpresa. – Isto é tudo um disparate. O espírito do meu pai nunca esteve presente nesta sessão! Nem o dele, nem o de ninguém. Foi tudo uma armação vossa!

André bateu três vezes na porta de madeira branca, colocando então a mão na maçaneta. Depois disse, com um tom intimidante:

– Tem a certeza?...

Os rostos de todos os presentes voltaram-se na sua direcção. Era óbvio que havia alguém do outro lado da porta, mas era impossível que fosse Mr. Lion uma vez que falecera há vários anos.

O ambiente tornou-se muito tenso e um silêncio cortante substituiu o burburinho anterior.

– Não estás a dizer que tens um espírito pronto a entrar nesta sala, pois não, meu rapaz? – perguntou Mr. Lair, abalado e levando a mão direita ao coração.

André não respondeu. Em vez disso, girou a maçaneta da porta e entreabriu-a. Depois espreitou para o exterior durante alguns segundos e finalmente deixou passar o novo convidado.

A voz de Mrs. Lair exclamou, espantada:

– Elisabeth?

Mr. Lair foi o primeiro a proferir algumas frases mais longas:

– *Oh dear*! Eu bem sabia que não andava muito bem ultimamente... Mas tenho a certeza que tomei os comprimidos esta manhã! – garantiu enquanto olhava para a senhora que acabava de cruzar a porta e para a mulher, do outro lado da mesa. – Não percebo... Quem... Quem é aquela? Estarei a ver a dobrar?

A senhora que André deixou passar e acabara de entrar na sala era em tudo igual a Mrs. Lair. Tinha o mesmo rosto e a mesma constituição física, embora fosse um pouco menos forte.

Vestia-se exactamente da mesma forma e penteava os cabelos, de cor idêntica, de modo igual.

Mrs. Lair, que entretanto perdera o seu olhar vitorioso, estava agora assustada como um coelho. Não sabia o que dizer e mantinha-se de boca aberta, a fixar a sósia.

– Mas… são… duas! – exclamou por fim Mrs. Sbarra.

– Sim, são duas – disse Maria, concordante. – Irmãs gémeas, filhas de Mr. Lion. O que torna os seus álibis muito menos inabaláveis, não é verdade, Mrs. Lair?

Os participantes na sessão voltaram a acomodar-se nas suas cadeiras e ficaram à espera das explicações que estavam para ser dadas pela rapariga.

– Ambas as irmãs Lion tinham um plano muito bem elaborado para recuperar os dez objectos roubados ao pai, mas no meio desse plano houve um elemento com o qual não contavam: nós! – disse Maria, apontando para si mesma, para André e para Ana. – Quando, no jantar em casa de Mrs. Hunt (e que, como esta nos explicou hoje, foi ideia de Mrs. Lair e não sua) se começou a falar de leões, Mrs. Lair desconfiou que tínhamos descoberto alguma coisa e foi por isso que começou a inventar histórias disparatadas sobre leões para nos despistar, como a dos *leões mágicos de Trafalgar Square*! Não é verdade?

As irmãs gémeas olharam uma para a outra, entristecidas e derrotadas. Mrs. Lair suspirou, atirou-se para a sua cadeira e por fim começou a falar, calmamente, como se já nada lhe importasse:

– O nosso pai adorava Agatha Christie. Leu todos os seus livros e assistiu a todas as suas peças. No dia 17 de Novembro de 1943, enquanto assistia à adaptação da sua última obra para o teatro, dois ladrões entraram em sua casa e roubaram-lhe uma colecção valiosíssima de objectos que adquirira ao longo da sua vida.

«O nosso pai era um homem muito religioso e assistia, sempre que possível, à *Evensong*, em *Westminster Abbey*. A ideia de criar uma tal colecção tinha-lhe vindo precisamente ali, durante uma das orações cantadas. Estava sentado num dos cadeirões de madeira e reparou, sobre a sua cabeça, numa insígnia com um leão. À sua frente, do outro lado da sala, encontravam-se outras duas. Foi então que decidiu fazer uma promessa a Deus para Lhe agradecer a boa fortuna que proporcionara à sua família até àquele momento: juntaria uma colecção de objectos valiosos que estivessem relacionados com leões e com o seu nome de família, como uma espécie de homenagem. Como era gravador de profissão, gravou os objectos que ia adquirindo no lugar da abadia onde passou a sentar-se sempre. Nunca ninguém o viu fazê-lo e as dez gravações eram tão perfeitas que pareciam fazer parte da decoração da igreja. Escolheu dez objectos porque o primeiro prédio que conseguira comprar, em *Craven Street*, tinha também o número 10.

«Os Lion tinham prosperado durante muitos anos e até ao dia 17 de Novembro de 1943, quando a sorte cessou. O meu pai tinha conseguido juntar uma fortuna significativa e tinha feito vários investimentos que financiara com uma hipoteca realizada sobre os dez objectos da sua colecção. No dia em que a colecção foi roubada, os bancos retiraram o investimento e pediram o dinheiro de volta. O meu pai teve de vender todos os seus bens para pagar as dívidas e desde esse dia jurou vingar-se de quem lhe tinha provocado tamanho infortúnio.

«A sua vingança tornou-se uma obsessão, mas como nunca chegou a descobrir os ladrões das peças, resolveu perseguir quem as tinha comprado ilegalmente em vez de denunciar os vendedores. Foram precisos vários anos para que descobrisse os seus nomes. E no dia em que isto aconteceu, escreveu a sua vingança numa carta que nunca encontrámos. Falou-nos dela no dia da sua morte e pediu-nos para descobrirmos os culpados e reavermos a colecção. O problema é que perdeu mais tempo a explicar-nos as subtilezas do seu plano, que deveria ser executado com a mesma carga misteriosa de um romance de

Agatha Christie, do que a dizer-nos os nomes das pessoas que deveríamos encontrar.

«Porém, a carta nunca apareceu e sem ela precisámos de muito tempo para voltarmos a descobrir os dez nomes. Mas, por fim, conseguimos. Éramos muito jovens, tínhamos apenas dezoito anos.

«Quando vos ouvi falar de leões no jantar de Mrs. Hunt, fiquei desconfiada e pensei que vocês tivessem encontrado a vingança do meu pai escrita em qualquer lado. Afinal de contas, parte do recheio da nossa casa ficou no apartamento que vocês alugaram. Além disso, quando ouvi Mrs. Hunt falar da *Evensong*, fiquei ainda mais desconfiada.»

– Foi por isso que decidiram agir rapidamente, não foi? – perguntou André. – Até porque, com a recente entrada de Miss Merle, já tinham todos os inquilinos a morar no mesmo prédio, como planeado.

André explicou então a todos os vizinhos como Ms. Elisabeth, disfarçando-se com a ajuda da irmã (não nos esqueçamos de que esta era actriz) e utilizando o seu contacto da agência imobiliária, tinha conseguido convencer todos eles a mudarem-se para o número 10 de *Craven Street*, ao longo de um ano e meio.

– Então foi por isso que me pareceu conhecê-la de qualquer lado, quando a vi no jantar! – exclamou Miss Merle.

Mrs. Lair acenou com a cabeça e prosseguiu:

– Sim, encontrou-se com Elisabeth na agência. Na verdade, o plano original era que cada uma de nós recuperasse metade dos objectos roubados. Para isso tínhamos de conhecer cada uma das dez pessoas que os possuíam. Eu, por exemplo, aos vinte anos, fiz tudo o que podia para conhecer Mr. Lair num clube de filatelia, pois sabia que herdara da mãe a colecção de selos do nosso pai. O plano era tirar-lha, mas... acabei por apaixonar-me por ele – concluiu, olhando com ternura para o marido.

– Foi então que decidimos mudar de planos – explicou Elisabeth, substituindo a irmã na narração e falando pela primeira vez. – Era óbvio que o plano original não estava a funcionar bem. Assim, decidimos que em vez de reavermos um objecto de cada vez, o melhor era reuni-los todos no mesmo sítio e foi assim que elaborámos o segundo plano com base na agência imobiliária. Só Mr. Bliss apareceu aqui devido a um puro acaso, por sinal muito conveniente.

Os vizinhos estavam absolutamente pasmados com a história rocambolesca que ouviam.

– Quando começámos a *reaver* os nossos objectos – disse Mrs. Lair, mostrando cuidado na escolha de palavras – nenhum dos inquilinos quis chamar as autoridades, pois todos conheciam a origem ilegítima dos mesmos e sabiam que faziam parte da lista de objectos roubados existente na Polícia.

«Isso tornou a nossa vida muito mais fácil, como podem imaginar. O sentimento de culpa de cada um e o medo de serem acusados por um crime antigo, ainda que já prescrito, com a vergonha que daí adviria, serviu de dissuasão a nosso favor e deixou-nos prosseguir sem a intromissão da Polícia.

– Depois bastou-vos fazer o mesmo que tinham feito ao vosso pai – explicou Ana. – Tinham de esperar que os vossos vizinhos estivessem fora de casa para então recuperar à vontade os objectos roubados há mais de sessenta anos.

– Para isso, o facto de serem gémeas mostrou-se crucial, pois proporcionava os álibis que Mrs. Lair tanto desejava, no caso de alguém descobrir que era filha de Mr. Lion – disse Maria, aproveitando a deixa da irmã. – Era Elisabeth Lion quem entrava nos apartamentos vazios e surripiava cada objecto. Escondia-o em casa da irmã, num compartimento secreto que só elas conheciam, e foi por isso que Mr. Lair começou a pensar que não andava bem de saúde, pois tinha a impressão de ver Mrs. Lair em sítios diferentes quase ao mesmo tempo.

«Isto, na verdade, devia-se somente aos descuidos das duas gémeas, como aconteceu no dia em que o pobre Mr. Lair jurou ter visto a mulher com uma saia preta, quando esta, na verdade, tinha vestido um fato azul...

– Sim é verdade. Quando dei conta disso, achei melhor convencer o meu marido de que não estava bem de saúde e comecei a dar-lhe uns comprimidos falsos para disfarçar, mas que obviamente não serviam para mais nada.

– E era também para o confundir que lhe pedia coisas e depois insistia em que nunca lhas tinha pedido, como aconteceu com o xaile, no outro dia.

Mrs. Lair acenou, concordante.

– O compartimento secreto já existia desde que o prédio tinha sido construído – explicou Elisabeth. – Era ali que nos escondíamos quando éramos pequenas, mas a minha irmã tinha-o disfarçado atrás da porta falsa de um armário no corredor.

– Então foi por causa disso que recusou a minha proposta de trocar de apartamentos – exclamou Mr. Wang, arreliado e juntando dois mais dois.

– E era por isso que Miss Merle e Mr. Drake ouviam barulhos estranhos vindos do seu andar quando sabiam que os Lair não estavam em casa – elucidou André.

– E essa é também a razão pela qual tanto Mr. Drake como Mr. Lair tinham a impressão de ouvir o relógio de parede tocar depois de ter sido roubado – esclareceu Maria.

– Então não se tratava de uma impressão, como pensava, mas do relógio verdadeiro... – murmurou Mr. Drake, banzado.

– Cada vez que planeavam o furto de mais um objecto, as irmãs tinham de fazer com que as pessoas saíssem de suas casas, permitindo-lhes assim liberdade de acção. Arranjavam para isso diversos estratagemas: o do jantar em casa de Mrs. Hunt foi o primeiro. Foi ali que se anunciou a falsificação do quadro, que na verdade tinha sido roubado e substituído antes, e o roubo da colecção de selos.

– A descoberta do quadro falso não fazia parte dos nossos planos – explicou Mrs. Lair. – Mas naquele momento tive de pensar em algo rapidamente e quando vi que Mr. Fields estava prestes a descobrir a falsificação, decidi fingir que a colecção de selos também tinha desaparecido, para me ilibar de suspeitas futuras. Na verdade, o objectivo do jantar era outro: conseguir as chaves dos vários inquilinos…

– Exactamente! – exclamou Maria. – Sempre me interroguei como se justificava a ausência de sinais de arrombamento nos apartamentos de todos os inquilinos, excepto no de Mr. Angelopoulos, que, ainda por cima, era o único que possuía alarme. A resposta surgiu quando me lembrei da insistência de Mrs. Lair em sair sozinha do apartamento de Mrs. Hunt, na noite do jantar.

«Achei estranho quando a vi pedir ao mordomo que voltasse a encher os copos dos convidados em vez de a acompanhar à porta porque, como notou o próprio mordomo, todos os copos estavam cheios. Antes de sair, Mrs. Lair passou pelo vestíbulo e tenho a certeza de que foi nessa altura que conseguiu retirar as chaves dos vizinhos. Levou-as então para casa, fez decalques das mesmas com plasticina e deixou a irmã encarregar-se de conseguir as cópias de cada uma delas, enquanto ela voltava a introduzir os originais nas malas e casacos dos vizinhos a quem as subtraíra, sem que nenhum deles desse conta.

– Então foi por isso que sujava os dedos sempre que abria a porta! – exclamou Mr. Drake, observando as suas chaves e retirando delas os últimos pedacinhos de plasticina vermelha.

– Foi assim que conseguiram entrar em casa de todos os inquilinos e roubar os objectos sem deixar vestígios – declarou André.

– Todos excepto eu! – contestou Mr. Fields. – Nunca deixo as minhas chaves no casaco, trago-as sempre comigo, no bolso das calças!

– No seu caso o estratagema foi diferente – esclareceu Mrs. Lair. – Lembra-se que o convidei para tomar chá na tarde do teatro? Fi-lo para poder introduzir um soporífero na sua bebida. Era necessário que dormisse toda a noite, sem acordar, enquanto Elisabeth entrava pela janela (que o senhor deixava sempre aberta) e lhe subtraía o violino.

O rosto de Mr. Fields tornou-se vermelho como um pimentão, tal não era a raiva que sentia.

– E eu? – perguntou Mrs. Sbarra, finalmente. – A minha bíblia não estava no meu apartamento, mas na livraria!

– O estratagema usado no seu caso foi outro – elucidou Maria. – Apesar de ter conseguido também a sua chave de casa, Mrs. Lair não conseguira encontrar a bíblia e foi assim que decidiu ir ter consigo no dia a seguir ao jantar, para tentar descobrir onde a escondia. Teve a sorte de nos ver entrar antes dela e foi assim que conseguiu aceder aos segredos do esconderijo na primeira pessoa. Lembra-se de ter ouvido o espanta-espíritos no andar de cima e de pensar que se tratava apenas de um cliente? Pois bem, devia ser Mrs. Lair.

«Manteve-se escondida lá dentro e esperou que saíssemos. Depois saiu, chamou a irmã e explicou-lhe tudo. Só então voltou a entrar na livraria, para a entreter com conversas e mexericos vários, distraindo-a e pedindo-lhe livros de difícil acesso, enquanto a irmã entrava e roubava a bíblia do seu esconderijo.

Entretanto Elisabeth chamou os bombeiros com o objectivo de causar confusão e facilitar a sua fuga, sem levantar suspeitas.

– Muito bem. Já agora – aproveitou Mr. Angelopoulos, sorridente e curioso – gostava de saber com que estratagema contaram estas duas *damas do crime* no meu caso…

– O facto de o senhor estar sempre no estrangeiro constituía uma vantagem, mas o seu alarme dificultava muito o trabalho das gémeas – explicou Ana, usando o que tinha descoberto. – Por um lado, não lhes fora possível obter a chave do seu apartamento, pois não compareceu ao jantar de Mrs. Hunt. Por outro lado, precisavam também de saber o código para desactivar o alarme, o que era praticamente impossível. Graças, mais uma vez, à experiência do seu contacto na agência imobiliária, Mrs. Lair descobriu que existiam umas certas tintas cujos vapores eram suficientemente fortes para fazer disparar um alarme antifurto. As irmãs lembraram-se então de convencer o encarregado das obras do Colégio de Optometristas, aqui em frente, a utilizar essas mesmas tintas para pintar as paredes internas do edifício nas obras de remodelação. O plano parecia perfeito, pois as tintas faziam, de facto, disparar o alarme quase todas as noites.

– E foi numa dessas noites que Elisabeth, aproveitando o alarme do prédio da frente e a ausência de todos os inquilinos no teatro, arrombou a sua porta e conseguiu obter o velho globo terrestre.

– A ideia de propor uma reunião de vizinhos no concerto de St. Martin's partiu de Mrs. Lair, que fez questão de, mais uma vez, dar a entender que a ideia era de Mrs. Hunt – explicou Ana.

– E para o estratagema final – concluiu Maria – Mrs. Lair pediu a Elisabeth que deixasse dez convites de teatro na mesinha de entrada, para que fossem vistos por todos eles ao regressarem do teatro…

– Foi uma forma perfeita de finalizar a vingança, não concordam? – perguntou ela, orgulhosa. – Fizemos a cada um de vós aquilo que as vossas famílias tinham feito ao nosso pai.

Concluímos o círculo do mesmo modo, reavendo aquilo que nos tinha sido roubado, e decidimos fazê-lo durante a mesma peça de Agatha Christie, *And Then There Were None*.

– E realmente, no fim não sobrou mesmo nenhum! – exclamou André, achando graça à conclusão. – Todos os objectos tinham desaparecido no final dessa noite.

Caiu de novo um silêncio insuportável na sala. As velas estavam quase totalmente consumidas e a luz tornara-se insuficiente.

Maria dirigiu-se então até ao interruptor e aumentou a luz do candeeiro central. A luminosidade feriu os olhos de alguns vizinhos mais sensíveis.

– Bem… agora que todos sabem a verdade, é nosso dever assinalar que tudo isto não passa de meras deduções – advertiu

Maria. – Não temos provas de nada para além da confissão delas e caberá a cada um de vós apresentar queixa com base naquilo que ouviram esta noite. Contudo, alertamo-vos para o facto seguinte: não utilizámos gravadores durante a sessão, o que significa que será sempre a palavra de uns contra os outros…

O comentário final de Maria deixou toda a gente sem resposta. Ninguém abriu a boca para apresentar a sua opinião ou enunciar o que decidira fazer relativamente às acções das gémeas. Todos os inquilinos, incluindo Elisabeth e Mrs. Lair, começaram a sair em silêncio, abandonando a sala aos poucos, sem olharem uns para os outros.

– Como é que descobriram que Mrs. Lair tinha uma gémea? – perguntou o embaixador baixinho, enquanto os vizinhos saíam.

– Foi fácil! – exclamou Maria. – Primeiro descobrimos que os objectos roubados deviam estar num compartimento secreto em casa dos Lair, pois Mr. Lair não tinha conhecimento de nada e o relógio de Mr. Drake continuava a tocar. Depois esperámos que os Lair saíssem de casa e então ficámos à coca. Quando Elisabeth saiu para ir à rua, apanhámo-la e obrigámo-la a confessar tudo, ameaçando chamar a Polícia. Sabíamos que não podia permitir-se uma coisa do género porque, embora nenhum dos roubos dos outros objectos tivesse sido reportado recentemente, o mesmo não acontecia com a bíblia de Mrs. Sbarra.

– Uhmm… De qualquer modo, tenho a certeza de que nenhum deles vai denunciar as gémeas.

– Claro que não – respondeu Sara. – E nem sequer vão tentar reaver os objectos roubados.

– É justo! – declarou André, satisfeito. – Ladrão que rouba ladrão tem cem anos de perdão!

– Ah, desta vez acertaste no provérbio! – riu Maria.

– A propósito – disse Hugo – aproveito para vos informar que a partir da próxima semana nos mudamos para um novo apartamento.

– Yuppppiiieee! – gritou Maria.

Assim que ouviram a porta bater com um estrondo após a saída do último vizinho, as irmãs Torres atiraram-se para o sofá, com um longo suspiro. André, porém, manteve-se de pé, fixando a parede com estupefacção.

– O que foi, André? – perguntou Sara. – Parece que viste um fantasma!

– E se calhar até viu! – disse Maria, com uma gargalhada. – O fantasma que anda nesta casa a entortar os quadros! Caramba! Podíamos ter perguntado ao espírito de Mr. Lion qual era a razão para este mistério! Foi o único que não fomos capazes de desvendar…

– E se te dissesse que acabei agora mesmo de o descobrir? – perguntou ele, com ar matreiro.

Maria olhou para ele com ar incrédulo e respondeu:

– Até te levava a mochila à cabeça, amanhã, para o jogo entre o *Chelsea* e o *Arsenal*! – riu ela.

– Deixa lá a mochila. Eu quero é saber se me arranjavas um autógrafo do Mourinho… – disse André, tentando a sorte.

– Sim, até isso era capaz de tentar arranjar – respondeu Maria, demasiado segura de si, não levando muito a sério, obviamente, o pedido do primo.

– Pois então repara bem! – disse ele, endireitando os quadros nas paredes da sala.

– O que é que estás a fazer? – perguntou Maria.

– Estou a arranjar um autógrafo… – riu André, abandonando a sala e deixando toda a gente curiosa atrás de si. – Não tires os olhos das paredes!

Segundos depois, ouviram-no abrir a porta do apartamento e fechá-la logo a seguir com um estrondo tão grande que fez tremer as paredes.

André apareceu a correr, entrando na sala com um enorme sorriso.

– Então? Estás satisfeita?

Maria estava de boca aberta, perplexa a olhar para metade dos quadros pendurados nas paredes… completamente tortos.

A colecção **Os Primos** distingue-se pela sua filosofia particular: para além de cenários internacionais, as aventuras destes jovens exploradores desfrutam de um conteúdo baseado em elementos de ficção, mas ao mesmo tempo de História, Geografia e outras ciências, o que permite transmitir aos leitores os resultados de um trabalho aprofundado de pesquisa e investigação.

Para além disso, as aventuras são muito actuais e os três primos são personagens com os quais os jovens se identificam com facilidade, pois lidam com muita tecnologia, recorrem com frequência à Internet e têm interesses e gostos contemporâneos.

O *site* da colecção pode visitar-se em **www.osprimos.com**. Aí pode conhecer-se um pouco melhor a colecção, os títulos publicados, a autora e as personagens principais. Para além disso são disponibilizadas fichas de leitura, os contactos da autora e... *e-mail* dos três primos!

O Segredo do Mapa Egípcio é o primeiro título da colecção **Os Primos**. Ana, Maria e o divertido André são os protagonistas desta empolgante aventura no Egipto. Os três tornam-se os mais jovens exploradores do mundo quando descobrem um mapa misterioso e seguem a sua pista, que os levará a correr inúmeros riscos e a viver momentos extraordinários. Viajarás com eles por locais exóticos e fascinantes ao mesmo tempo que desvendarás um pouco da história e cultura ocidental e árabe, num crescendo irresistível de suspense.

O Mistério das Catacumbas Romanas é a segunda aventura da colecção **Os Primos**. Desta vez os jovens aventureiros acompanham o casal de embaixadores Torres a Roma. Aí conhecem Dragos, um jovem que lhes desvenda mistérios espantosos sobre subterrâneos, histórias secretas da antiga cidade imperial e dos *Novos-Romanos*. Com a ajuda de muita tecnologia, dos mapas secretos das catacumbas e de truques divertidos, inventados para escapar a situações de perigo e ao temido *Boss*, os primos desmascaram duas perigosas redes de malfeitores e quase recuperam as jóias da Coroa Portuguesa. Com muito suspense percorrem os corredores proibidos do palácio do imperador Nero, o Coliseu, o Vaticano e toda a fantástica Roma. Tudo isto sem nunca se imaginar o desfecho inesperado desta excitante aventura...

O *Enigma do Castelo Templário* é a terceira aventura da colecção **Os Primos**. André convida Ana e Maria a participarem nas escavações arqueológicas de um antigo castelo Templário, na aldeia histórica de Castelo Novo, e os mistérios não tardam a aparecer: inexplicáveis acidentes atribuídos à Eremita da Serra da Gardunha, aldeões assustados que abandonam a zona e as minas de volfrâmio, terramotos, incêndios, estranhas lendas e a surpreendente maldição do foral que André revê na Torre do Tombo. Os corajosos exploradores contam com a ajuda da belíssima Clepsidra, mas têm de aguentar o mau humor de Gaspar, o chefe de escuteiros de André, que só lhes dificulta a vida…

As escavações de paleontologia estão prestes a começar e os primos juntam-se à equipa de voluntários internacionais na Lourinhã. O destino dos jovens cruza-se com a história do maior carnívoro terrestre do mundo, o *Spinosaurus*, e com as cartas trocadas entre cinco velhos paleontólogos. Quem terá deixado o artigo de Ernst Stromer de 1911 no cofre do museu da Lourinhã, a Capital dos Dinossauros, substituindo os fósseis e os embriões roubados? E a que se devem os ruídos e assobios fortes que se ouvem nas arribas, acompanhados de passos, pegadas enigmáticas, ossos e vultos aparentemente inexplicáveis? Nesta aventura passada em Portugal, Ana, Maria e André deparam-se com mais um mistério que trará momentos de leitura emocionantes e uma série de novos conhecimentos aos seus leitores.

O novo destacamento diplomático do embaixador Torres leva as irmãs Ana e Maria a deixarem o Egipto e a transferirem-se para Londres, a meio do Outono. Maria não consegue evitar os maus pressentimentos que a afligem no novo apartamento londrino e menciona-os a André, que ali se encontra para uma semana de férias. Os quadros da sala estão sempre tortos, não se vêem vizinhos nas escadas, e aqueles arrepios estranhos... A princípio, o primo não lhes dá muita importância, porém, ao ouvir um estrondo de vidros partidos no corredor, muda de ideias. Descobrem então que se trata apenas de um quadro partido, caído de uma parede. Mas... atrás deste, alguém, num tom de vingança, escondera uma carta misteriosa e um antigo folheto de teatro de uma peça de Agatha Christie, de 1943.

Ana, Maria e André partem com os embaixadores Torres para uma semana de férias em Valência, Espanha, durante a final da Taça América, a bordo de um magnífico veleiro, o *Mi Vida*. Com eles encontra-se o jovem americano Richard Grant e o espanhol Javier, filho do *skipper*, Alonso. Pouco antes de assistirem à primeira regata, os Primos observam um saco preto a boiar na água e pedem a Alonso para o recolher. Estranhando as reacções deste e dos pais de Richard, os três jovens decidem abrir o saco pela calada da noite, mas alguém consegue antecipar-se. No dia seguinte, graças a Javier, descobrem quatro misteriosas cópias do cálice mais desejado do mundo, o Santo Graal, e convencem-se de que existe, de facto, um mistério a resolver.

André visita o novo Museu do Oriente, em Lisboa, mas o que inicialmente parece uma simples visita de estudo depressa se transforma numa aventura de perseguição e suspense. Um estranho indivíduo vestido de mandarim e usando a máscara de Cai Shen, o deus da riqueza chinês, aparece-lhe em sonhos durante a noite e mais tarde deixa-lhe um misterioso e antiquíssimo livro, capaz de responder às perguntas que lhe fazem: o famoso oráculo I Ching.

Ana, Maria e André viajam até Martinica, nas Caraíbas. À chegada a este local com paisagens exuberantes e praias fantásticas, conhecem Letty, filha de Pierre Dumont, um biólogo francês cujas pesquisas misteriosas são interrompidas por um trágico acidente. No velho diário de Dumont, os Primos descobrem indícios importantes que conduzem a um diamante com três mil e quinhentos quilates, escondido algures no seio da floresta tropical. Com a ajuda de um velho amigo que não esperavam encontrar, os jovens partem num grande catamarã em direcção às ilhas de S. Vicente e Granadinas e chegam a Petit Tabac, ao largo da qual encontram uma pista deixada por Jean-Baptiste Labat, um biólogo explorador do século XVII. Mas a pista crucial na busca da incrível pedra preciosa, o maior diamante lapidado do mundo, encontra-se escondida num lugar que ninguém imagina e à vista de todos…

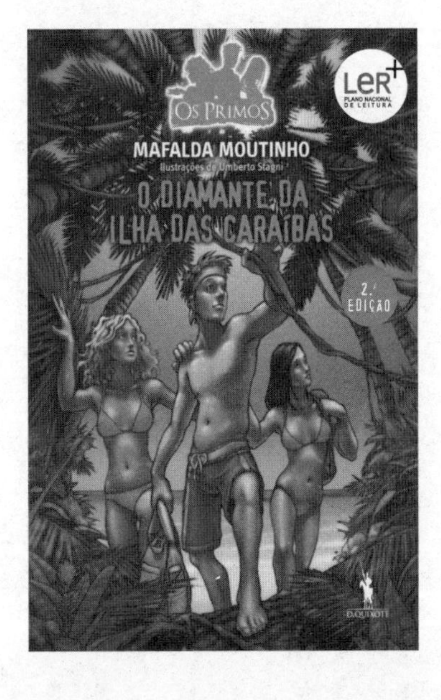